よくわかる
長野式治療

NAGANO-METHOD
ACUPUNCTURE TREATMENT

日本鍼灸のスタンダードをめざして

［著］
長野康司
KOJI NAGANO

医道の日本社
Ido・No・Nippon・Sha

―――推薦の辞

日本鍼灸界の至宝　長野式治療

中国では政府から医療分野で人間国宝級の成果を収めた治療家に対し、「国医大師」という称号が与えられます。日本鍼灸なら、長野式治療を開発した長野潔先生がさしずめそれに相当する人物かと思います。これほど独創的で学びやすく、診察・治療・効果の検証まで、西洋医学も融合しながら一体化した完成度の高い治療体系は、他にないでしょう。

中国の治療家の場合は、経絡学に基づきその解釈や整理を行い、元々ある治療を応用したという内容ですから、臨床経験から新しい治療体系を創った長野潔先生とは、多少次元が違うわけです。日本では、長野式治療は治療効果の高さから次第に普及してきてはいるものの、先代の2冊『鍼灸臨床　わが三十年の軌跡』と『鍼灸臨床　新治療法の探求』（ともに医道の日本社）を読んで入門するのは、ハードルが高く、直接セミナー（支部講師の先生方も素晴らしい方が多く、サポート体制も極めて充実しており、優れた弟子がおられることも長野康司先生の信頼性を示す証です）等を受講した以外の多くの方が、言葉の難しさから挫折していた事実があるようです。

本書は、長野康司先生がその点を改善し、わかりやすい言葉・図表を用いて入門しやすくすることで、多くの方々に長野式治療を行ってもらおうという意図で書かれています。

実際の臨床から生まれた長野式治療は、西洋医学的知識から入っていくことができますので、鍼灸師の方は無論、医師にもとっつきやすい治療法です。また、局所・循経穴等との組み合わせで無限の治療守備範囲を持っています。今まで鍼灸の主力であった運動器疾患に加え、これからの時代は精神疾患、耳鼻科疾患、眼科疾患が増えるはずです。多彩な症状を持った、西洋医学のフィルターにかからない脳過敏の方などが鍼灸院を訪れる機会は増えるでしょう。その場合にも、西洋医学を熟知しながら、適切に対処できる治療家がますます求められるようになると思います。

実は、恥ずかしながら私自身、２０１３年暮れ、突然両側高音域の耳鳴りに襲われました。耳鼻科、神経内科でも異常なし。耳鼻科診断は老人性耳鳴り。「治りませんから慣れるしかないです」とのこと。このキーン音では眠れないし、仕事にも相当影響がありました。50代になって間もなくの突然発症だったため、診断にも疑問を感じたのです。

それでお決まりの西洋治療と漢方治療に加え、頼れる鍼灸治療を求めて多くの治療家の治療を受けました。しかし、手応えを感じた治療には巡り会えなかったのです。翌年始め、私は長野康司先生の鍼治療を受けました。実に手際よく、扁桃処置・瘀血処置・頭部瘀血処置が始まります。とても気持ちよい鍼で、全くいやな響きもない。さらに椎骨脳底動脈促進処置・自律神経処置へと進んでいく。やや沈・滑だった脈も平脈になり、身体は明らかに楽になりました。耳鳴りも軽くなっていました。

長野先生は、高音域耳鳴り治療は難しいことに加え、「脳過敏（聴覚過敏）もあるのでは」と言われ、西洋医学の知識も相当豊富であることが窺われました。以前の鍼治療では、治療前に「耳鳴りなんかは簡単に治せる。今すぐ治せるよ！」と豪語する自信満々（過剰）な治療家ほど、逆に期待を大きく裏切る結果となることが多くありました。自画自賛に名医なし。深蔵若虚。これらの言葉は、まさに真実でした。

長野先生は実に紳士的で控えめな方なので、治療を受けるまでは優れた治療家とはわかりにくいのですが、鍼が効くと確信した初めての治療でした。西洋医学の知識も十分身に着け、患者と呼吸を合わせて治療を行えるため、長野先生の治療は確実性が高いのだとわかりました。その後、耳鼻科医の意見に反し、鍼灸・漢方に脳過敏（聴覚過敏）の治療を併用して効果を上げていいます。

このスピード化の時代、昔の「30年でやっと一人前になれる」などの治療法は、もはや時代遅れです。ぜひ本書をうまく活用して、自らが一生の仕事として選んだ鍼灸治療に磨きをかけ、西洋医学の知識も豊富にして、患者さんに貢献できるようにしていただきたいと思います。長野式治療を知らないのでは、あまりにも勿体ないといえます。

平成27年8月

阿部裕明

十条皮フ科クリニック院長／日本皮膚科学会認定皮膚科専門医／医学博士／中医師

推薦の辞　鍼灸臨床論再考の機会を与えてくれる書

長野康司先生は臨床する学者である。初めてお会いしたドイツ、ヘキスト城の鍼灸セミナーで、ある症例の東洋医学的解釈について議論が紛糾した。客席でそれを黙って聴いていた先生は、指名されると五臓の機能の観点から解釈を述べられた。目から鱗が落ちるようなその説明を聞いて、その場にいた人たちの胸の痞えがスッと取れるような空気が感じられた。力ずくでない明快な説明によって皆を納得させた先生の学者気質に触れた瞬間は、真っ暗なドイツの田舎道に迷ったタクシーの中で共に不安な思いを過ごした体験とともに、今でも鮮明に覚えている。

「医道の日本」誌で連載された長野潔先生の『鍼灸臨床　わが三十年の軌跡』が終了して20余年。康司先生が継承した長野式治療の世界は、本書によって、よりわかりやすく、より近づきやすいものとなった。臨床経験や才能といった高いハードルを持ち出されると入門者は敬遠しがちだが、本質を理解している先生の説明は易しく、そして優しい。特に具体的でイメージしやすい2章のQ＆Aと3章の症例の章において、それは顕著である。

いきなり5段とばしを見せられても初心者はついていけない。最初の1段目に足を踏み出しやすくする配慮が本書にはあるのだ。しかし、それは難しい要点を端折っているのではなく、例えば、多くの患者の脈を診ることで違いがわかってくるが「目的意識を持って診ることが大事」といった記述のように、臨床技術を学ぶ階梯となる至言を所々に埋め込んでいる。

本書は技術論を易しく述べただけのマニュアル本ではない。臨床する学者・長野康司先生の鍼灸臨床の本質論が、症例に埋め込んである。そこには具体的な診察や処置の記録だけでなく、患者のナラティブ（物語）がていねいに記されているのだ。疾病が同じでも、患者の人生の中で解釈される疾病のナラティブは一人ひとり異なる。その部分をきちんと記述することで、患者個別のナラティブを重視するとともに、先生がそこに参与して新たなナラティブが展開しているのがわかる。先生の臨床家としての患者への眼差しと、学者としての高度な洞察・統合力が同時に見えて圧巻である。

長野式治療で5つの要因を正していく際には、易しく書かれた技術論を修得するだけでなく、時宜にかなった使いこなしが肝要だと推察する。その匙加減まで読み取ろうとするならば、本書は「よくわかる」だけに止まらない深みがある。その意味では、入門者だけでなく長い経験をもつ鍼灸師にとっても、各々の鍼灸臨床の「軌跡」をたどって技術論と本質論を見直すよい機会となるであろう。

平成27年　蕃秀の夏、水都大阪にて

山下仁
森ノ宮医療大学鍼灸情報センター長・教授

はじめに

長野康司

先代、長野潔の書斎は、自宅の離れにあります。一度、原稿を書き出したら時間を忘れ、食事をすることも忘れ、目の前の原稿に没頭したものです。私たち家族は殺気立つものを感じて、おいそれとは近づけませんでした。

その原稿の内容は普段の臨床の記録であり、それから発した疑問を古今東西の医学文献から調べたりしておりました。治りにくい患者に出会っても、先代は決して音をあげません。その壁を突き破る場所も書斎でした。

自分の眼を犠牲にし、血と汗が滲んだ独自に考え抜いた処置法は、こうして出来上がったのです。これが後の長野式治療になっていきます。

現在、国内には数多くの鍼灸治療法があります。臨床に従事している鍼灸師、柔道整復師を始めとする治療家は、治療する上で何を望んでいるでしょうか。答えは言わずと知れています。「即効性のある治療」ではないでしょうか。その上、初心者でも効果が出せる「再現性」、多くの疾患に対応できる「多様性」。こういうものがあれば、誰でも身に着けてみたいと思うのではないでしょうか。

鍼灸業界の専門誌、「医道の日本」２０１１年12月号で、現代鍼灸業態に関するアンケートを紹介しています。全国の臨床に従事している鍼灸師をランダムに選び、回答を寄せた約４００人の統計が出ています。その中で「主たる治療理論」に「西洋医学」「伝統経絡」「中医学」「東西折衷」という項目があり、この中で最も多いのが「東西折衷」で45％。次が「西洋医学」で20％、「伝統経絡」18％と続いております。「西洋医学」と「東西折衷」を合わせると65％、つまり、およそ３人に２人は現代医学を重視した理論を治療根拠にして、施術に当たっているといえます。

長野式治療は、診察は東洋医学によっていますが、治療は西洋医学の理論や知見をふんだんに取り入れ、また伝統鍼灸の診方や理論を融合させて、「東西折衷」の治療法といえるものです。

これを創始した長野潔は、従来の伝統鍼灸に満足せず、先達の多くの書物を渉猟し、西洋医学の理論・知見を研究、検証して30万人以上の患者の身体を通して、長野式治療を創り上げたのです。創始者の患者をしっかり診る観察眼から出発した仮説(想像力)、検証、理論構築の、いわゆる科学的思考で到達した長野式治療。多くの患者の身体を通して焙りだされた「即効性」「再現性」「多様性」において、後世の評価にも十分耐えうるものになっていると確信しております。

本書は、その長野式治療の案内書として、執筆いたしました。

1章は、長野式治療の概要について、初心者の方にもよくわかるように、図解をふんだんに取り入れて、皆さんの臨床に即して書いております。

2章は、私が1998年から始めた長野式臨床研究会の大阪セミナーにて、2003年から2014年にかけて集めたおよそ450に及ぶ受講生との質疑応答の中から厳選した127を紹介します。診察から処置まで、わかりやすくまとめています。

3章では、私の臨床を取り上げています。長野式治療を駆使して、患者の人物像に焦点を当てた症例について、物語風に書いております。

4章の分野別の各疾患処置は、前述のセミナーで講義してきたことをコンパクトにまとめて、新知見も取り入れて、書き加えています。

本書が多少なりとも、皆さんの臨床に役立つことを祈願しております。

◉目次

［よくわかる長野式治療
日本鍼灸のスタンダードをめざして］

※本書の経穴名の表記は、『新版　経絡経穴概論』に則っています。

Nagano-Method
Acupuncture Treatment

1章

長野式治療の概要

長野式治療の総論

長野式治療の特徴

長野式治療の特徴、診察・治療はどのようなものなのか、まず特徴を述べていきましょう。人間の体には、本来、自然治癒力というものが備わっています。これを阻害するものがあると、身体が異常をきたし、病気が発症してきます。この自然治癒力を妨げている要因を5つに分け（便宜上、わかりやすくするために5つに分けています）、これを取り除くことによって治癒へと導いていきます。これが1つ目の特徴です。

それが鍼灸の古典理論（『素問』、『霊枢』、『難経』、『脈経』など）および西洋医学の解剖、生理学、病理学に根拠を置いた長野式治療法です。この5つの要因とは、免疫系、血管系、神経・内分泌系、筋肉系、気系です。詳細は後述していきます。

2つ目の特徴は、〝丸ごと治療〟ということです。患者の病気だけを診るのではなくて、患者そのものを診る。今の症状がどのようにして起こったのか、その背景に何があったのか、そのための今までの治療、検査や現在服用している薬、既往症、患者の性格やその取り巻く家庭環境、職場・対人関係などを知っておくことは、治療する上で非常に重要なことです。

つまり、病気だけでなく病人を治していくということです。

3つ目は、診察（所見）から治療（処置）がシステム化しているということです。問診、脈診、腹診などを始め、全身からの情報収集を症状と照らし合わせながら、診察（所見）し、そして方針（証）を立て、5つの分野の処置法を駆使して、治癒という目標に向かって施術していくということです。

さて、長野式治療の診察と治療法にはどのようなものがあり、それは何を意味し、どのような効果をもたらすのか、まず概略を述べていきます。

診察

長野式治療では、主に6つのポイントを診ていきます。

①問診

いつから、どの場所が、どのようにあるのか、今までどのような治療を受けてきたのか、既往症や手術、入院の有無、現在服用している薬、食欲、便通、睡眠はどうかなどの情報を収集します。

②脈診

脈状は今の身体の状態や症状の経過、予後がよくわかる診察法です。祖脈（浮、沈、遅、数、虚、実）というのがあり、脈状の基礎になっています。それと脈差診も診ていきます。

③腹診

鍼灸の腹診は、我が国が最も盛んで、江戸時代よりこの方、日本独自の発展をしてきました。鍼灸師の腹診は『難経』を中心としたものを取り入れている方が多いようです。それは臍を中心に肝、心、脾、肺、腎を診ていきます。この拠り所は五行理論ですが、実地臨床では生きた実学になっています。また、古方派の漢方の診方も参考になります。

④腰背診

腰背部の情報は非常に重要です。脊柱起立筋や仙腸関節および肩甲骨周辺の筋肉硬化の有無、それから腰椎を始め、脊椎の変形を診ていきます。

⑤火穴診

五行穴の中の火穴というのは、その経絡の虚実がよく表れている反応点です。五臓に重きを置きますから、特に陰経を診ていきます。無論、陽経も診ます。

⑥局所診

これも大事なポイントです。口蓋扁桃や頚部リンパ節に関係の深いのが天牖です。神経的な疲れが出て、ふらつきがある場合は、肩井や陰陵泉に圧痛が出ます。全身の筋緊張を簡便に判別できるのが胸鎖乳突筋です。その他、さまざまな診るべき局所があります。

治療法

治療では、5つの阻害要因を正していきます。実際の治療で運用していく処置法になります。概要を述べていきます。

①免疫系処置

私たちの身体は、外敵（ウイルス、細菌等）から守る免疫機構が備わっています。すなわち、骨髄、白血球、扁桃、リンパ節、胸腺、腸粘膜下リンパ組織などであり、それらの機能を強化、活性化することによって治癒に導き、病気になり難い身体をつくる処置です。

（1）扁桃処置…防衛基地の第一線である扁桃を強化していく。

（2）粘膜消炎処置…粘膜下リンパ組織は腸だけでなく、他の器官にもあり、これらを活性化して炎症を抑える。
(3) アレルギー処置…免疫グロブリンに影響を与えるアレルギー症状を抑えていく。

②血管系処置

人は血液の循環がスムーズに保たれることで健康を維持している面があります。しかし、この血液が滞ったり、虚血に陥ったりすると身体の治癒力が低下して、体調が崩れます。血管系処置は血液循環を促進し、調節する処置です。

(1) 強心処置…心臓を中心とした循環系を賦活させる。
(2) 瘀血処置…古血(悪血)の滞りを改善していく。腹部と頭部の処置がある。
(3) 肝門脈鬱血処置…肝門脈の鬱血状態の改善につながる。
(4) 骨盤虚血処置…骨盤部の虚血や冷え性に効く。
(5) 骨盤鬱血処置…神経性疲労からくる骨盤部静脈鬱血の循環促進。
(6) 椎骨脳底動脈促進処置…脳虚血の症状に対して脳循環を改善。
(7) 下垂処置…腹圧を上げ、腹腔内血管の血流を改善する。

③神経・内分泌系処置

人は自律神経および内分泌機能によって身体の全身調整が図られ、バランスが取られています。つまり、ホメオスタシス（恒常性）です。このバランスが乱れると病気に傾いていきます。これら自律神経・内分泌の働きを調整する処置です。

（1）自律神経調整処置…交感神経と副交感神経のアンバランスを正常に復元させる。
（2）副腎処置…全身的な体力低下に対して、副腎を調整することで、身体を復元させる。
（3）血管運動神経活性化処置（横V字椎間刺鍼）…血管に分布している血管運動神経に作用して、その該当する臓器・器官などの血液循環を賦活させる。
（4）側弯処置…後天的側弯からくる末梢神経障害に効果がある。

④筋肉系処置

筋肉、腱や靭帯のこわばり、硬化あるいは弛緩によって身体の方々が痛み、違和感、しびれなどが出ます。この歪みを正していく処置です。

（1）筋緊張緩和処置…大脳の運動野から発している錐体路系を利用し、これに相当する経絡の少陽経に刺激を与え、延髄で交差した反対側の筋緊張を緩和させる。
（2）結合組織活性化処置…各関節における結合組織（腱）の緊張・硬化を和らげ、修復して活性化していく。
（3）帯脈処置…体幹伸筋群と体幹屈筋群のバランスを取り、経絡のらせん効果ももたらす。

⑤気系処置

鍼灸治療は、そもそも経穴を使って〝気〟の巡りをよくする治療です。とりわけ、気の流れを促進し、調整していく処置です。

（1）胃の気処置…後天の元気である胃の気の流れを促進し、身体の抵抗力を引き上げる。

（2）気水穴処置…五行理論に準拠しており、経絡の実証を改善していく。

長野式治療の診察

先述したように、長野式治療の診察法をわかりやすくするために、次の6つに分けています。

1 問診　2 脈診　3 腹診　4 腰背診　5 火穴診　6 局所診

患者の病状を把握するためには、身体からの多くの情報が必要です。相手を知ることで正確な治療ができます。その治療の根拠になるのが、この6つの診察です。

問診

当院では予診表（P214参照）を初診の外来受付の段階でチェックします。この予診表を参考にしながら、随伴症状、現病歴、既往症、病院での検査、他院での治療、食欲・便通・睡眠、血圧測定などをして、具体的に聴いていきます。できるだけ多くの情報を集めていくわけです。問診だけでもかなりのことがわかってきます。

脈診

脈診法には脈状診、六部定位脈診、人迎脈診などがあり、いずれも臨床的に重要な価値を持っています。筆者は主として脈状診を中心に、六部定位脈診を補足的に用いています。

脈は患者の橈骨動脈の拍動部に術者の3本の指を当て、その脈状に意識を集中させます（図1－1、2）。最初は脈層3層の浮の位置から診ていきます。そして沈へ。それからおもむろに指を上げて、中位（胃の気の脈）の脈を診ます。つまり、浮→沈→中の順番です。

〈脈の取り方〉

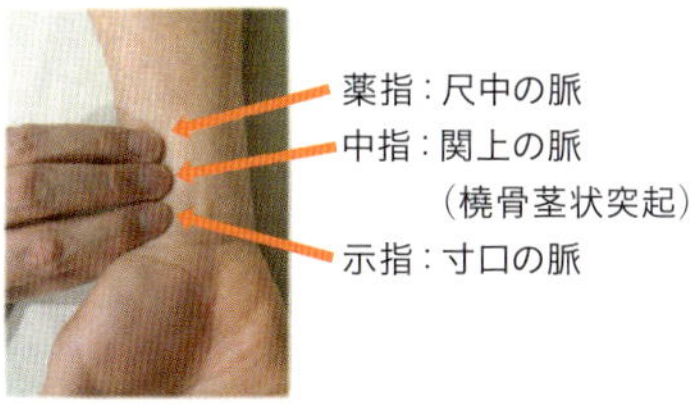

図 1-1

〈脈を取る順序〉

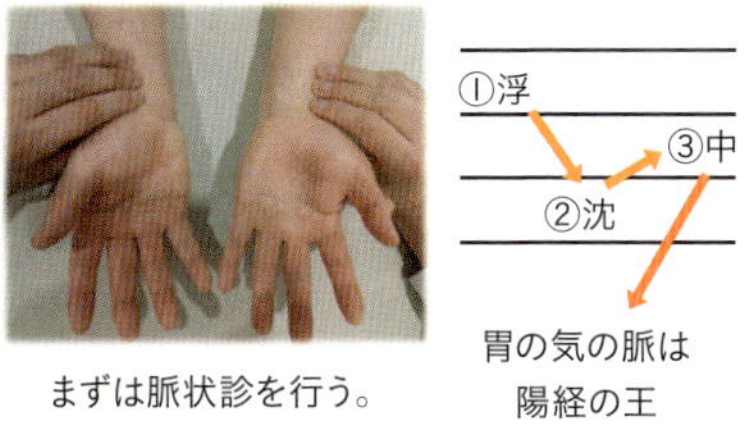

まずは脈状診を行う。

図 1-2

脈診の意義は何かというと、まず病位（病の軽重）、病像（寒熱、疾病状況）、治療効果、予後の見通しなどがわかるということです。これは鍼灸臨床家にとって大きな武器になります。もちろん、始めてすぐわかる人はいません。先代の長野潔も最初は何のことか、わからなかったようです。数多くの患者を診て、症状と照合しながら、年月を重ねるうちに段々、指に触れてくる脈の意味が腹に落ちてきたのです。最初から名人など存在しないわけですし、難しいと、はなから思えば、そこで自ら門を閉ざしたことになります。訓練すれば誰でも体得できます。

さて、脈状は28種とも24種ともいわれております。しかし実際、臨床で診られる脈状はそれほど多くはありません。歴史的変遷を経て、現在、基本的な脈状に祖脈（浮、沈、遅、数、虚、実）というのがあります。これらの説明と臨床でよく診られる他の脈状についても詳しく述べていきます。

①浮脈

少し触れただけでも打っている脈です（図1－3）。**その範囲は浮から中の辺り**までをいいます。3層にわたって触れるのは浮脈ではありません。この意味は病が表層にあることを示しており、風邪の初期などに現れやすいです。痩身体でこの脈は順証といえます。

②沈脈

脈層の3層の中・沈くらいまで指を沈めて、初めて触れる脈です（図1－4）。これは次のような意味を有します。1つは冷え性あるいは骨盤部虚血、2つは下垂傾向、3つは腎虚傾向です。腎虚はこれに遅が兼脈されると顕著です。高齢者や若中年者でも虚弱体質者にみられます。下垂というのは内臓下垂のことで、脈の尺中（三焦の下焦に相当する）が落ち込んでいる（尺落）ことがあり、この場合、内臓下垂を表しているといえます。また、内臓下垂と腎虚は密接な関連があります。尺落は腎（下焦）虚につながっています。

③遅脈

脈拍が1分間におおよそ60拍以下の脈状をいいます（図1－5）。遅脈は非常にわかりやすく、これもいくつかの意味があります。1つは慢性化、2つは虚血（虚弱を含む）です。この脈状で急性というのはまず考えら

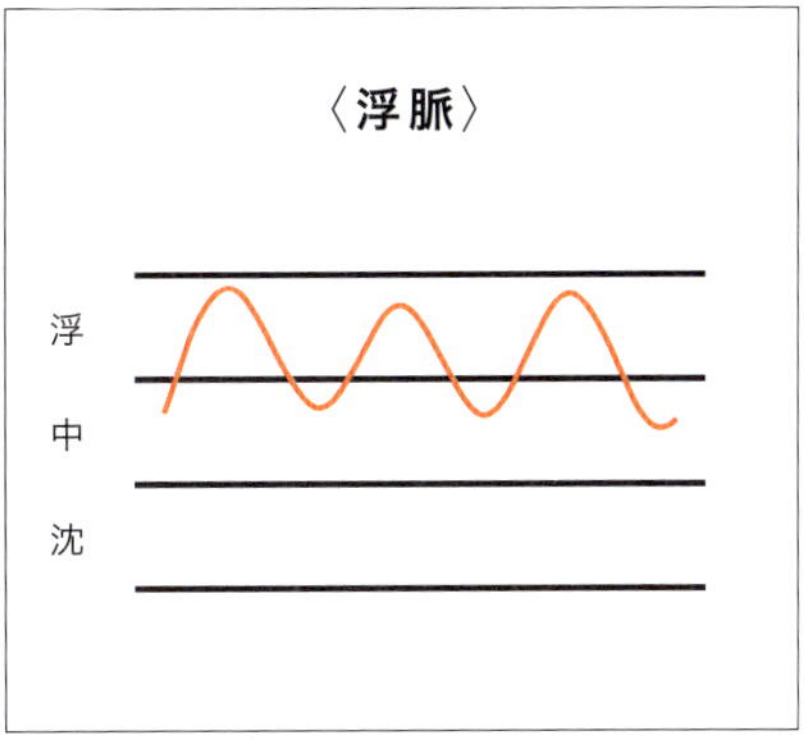

図 1-3

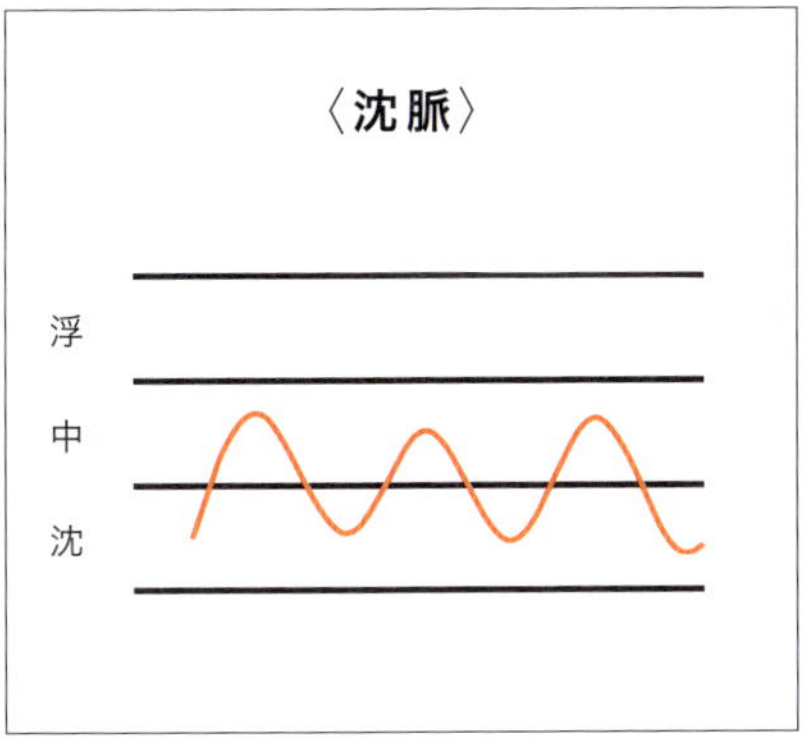

図 1-4

れません。ほとんどが慢性化した症状や疾患と考えられます（急性で遅脈という人は体質的なものが考えられます）。

虚血は比較的、冷え性などを含めて該当しています。また、高齢者の遅脈はこの世代に現れやすい脊椎の変形、結合組織の硬化からくる交感神経や血管運動神経、脊髄神経の機能低下も意味しています。

④数脈

これは**1分間に80拍以上を打っている脈状**です（図1－6）。遅数は最もわかりやすく、また、多様な意味があります。1つは疼痛、2つは進行性（熱を含む）、3つは自律神経亢進（体質、性格も含む）、4つは炎症性です。数脈は熱性であり、症状が急性あるいは進行しています。そのため、自律神経、特に交感神経緊張や炎症ということもあります。しかし炎症がすべて数脈ということではありません。

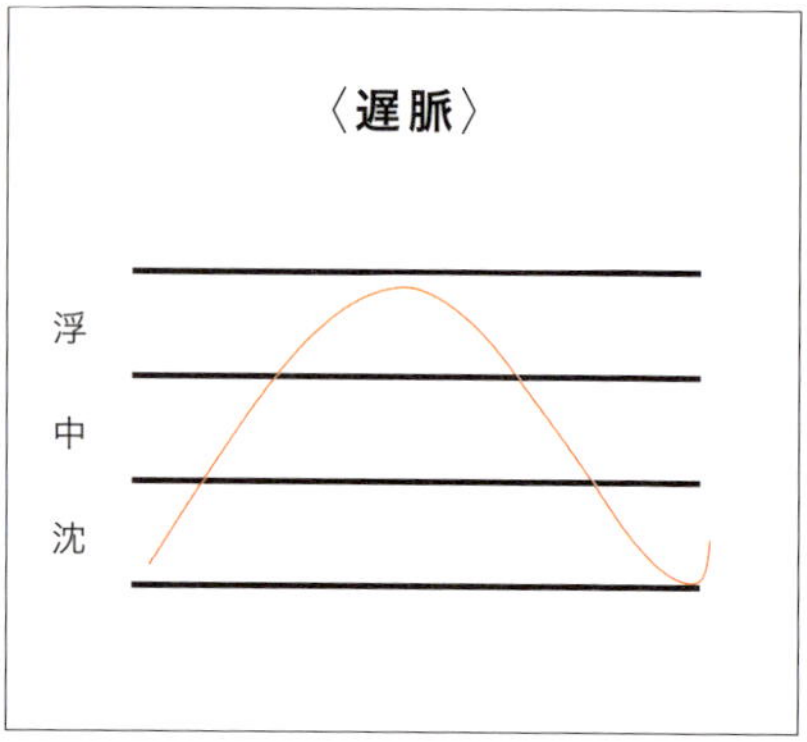

図 1-5

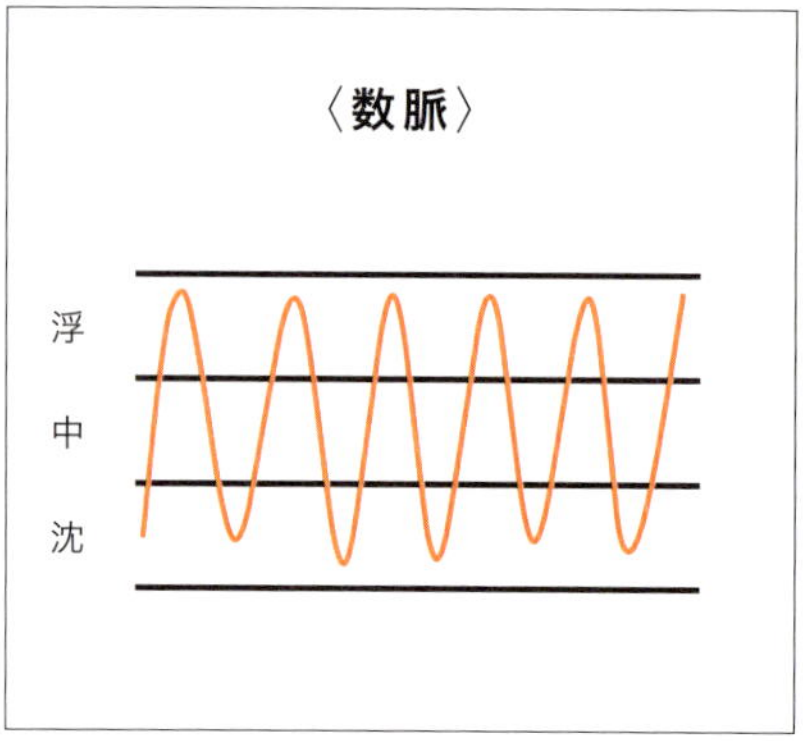

図 1-6

⑤実脈

脈の形状は大きく、指下に溢れるくらいに満ちて強く触れる脈状です。実際の臨床ではこの脈として直接、表現することは少なく、いくつかの脈との兼脈として実脈とみます。例えば弦数や浮洪などです。また、この脈は性差で大きな特徴があります。女性の右尺中の虚実で婦人科疾患（子宮内膜炎、子宮筋腫、子宮内膜症等）の有無、男性は左尺中の虚実で前立腺異常の有無をみます。また、男性の右尺中の実は肺がんや大動脈瘤、食道静脈瘤等の疾病が存在することもあるので注意を要します。

⑥虚脈

指に触れる脈の感じが弱く、細く、精気の欠乏を表しています。これも実脈と同じで、直接表現することは少ないです。弱、細、遅、沈などは虚脈に属します。疾病に対して抵抗力を喪失、あるいは喪失しかけている脈状です。

⑦緊脈

緊張の強い脈状で、交感神経が亢進していると考えられます（図1－7）。数を伴うことが多いです。この意味するのは自律神経失調の症状と疼痛です。ただ、服薬によって、本来のこの緊が歪曲されていることがあるので、注意を要します。体質や性格から来る緊もあり、この場合は変化が乏しいようです。

⑧弦脈

脈に膨らみがなく、かさかさした緊張感があります（図1－8）。緊と似ていますが、緊脈は3層のうち、浮～中位までであり、この弦脈は**3層すべてにわたって触れる強い脈**です。この意味は1つは自律神経性、2つは難治性、3つは肝胆経亢進（実証）です。難治性というのはパーキンソン病、甲状腺機能亢進症などの疾患のことです。弦脈だからすべて難治というより、一部、この意味が含まれているということです。

⑨洪脈

指に触れる脈が大きく、浮いています（図1－9）。特に左寸口の沈位がこの脈であれば、熱病、陽病、火症を意味します。疾病の亢進を表わしており、リウマチ性疾患、痛風、心肥大、狭心症の進行した状態のと

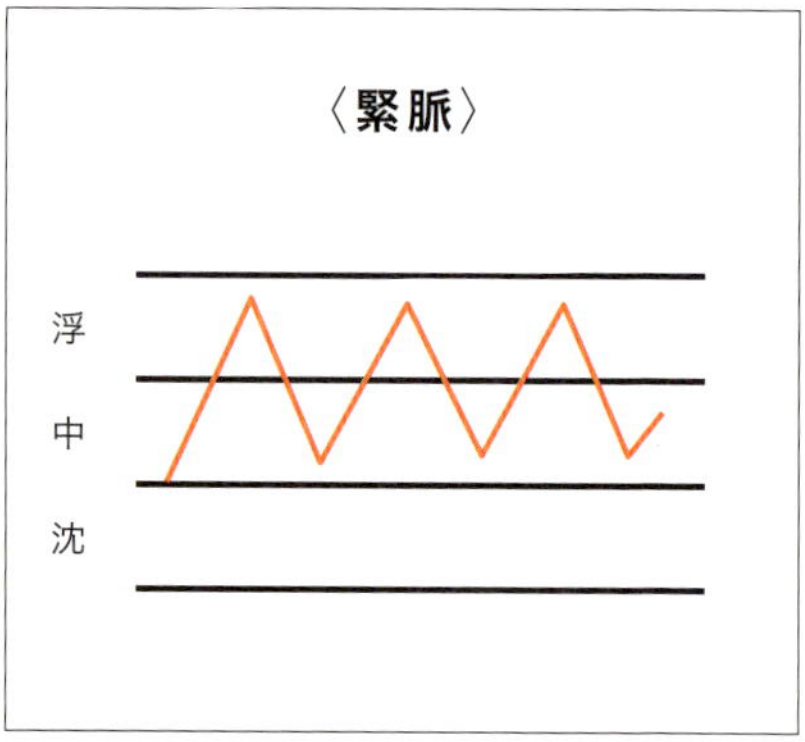

図 1-7

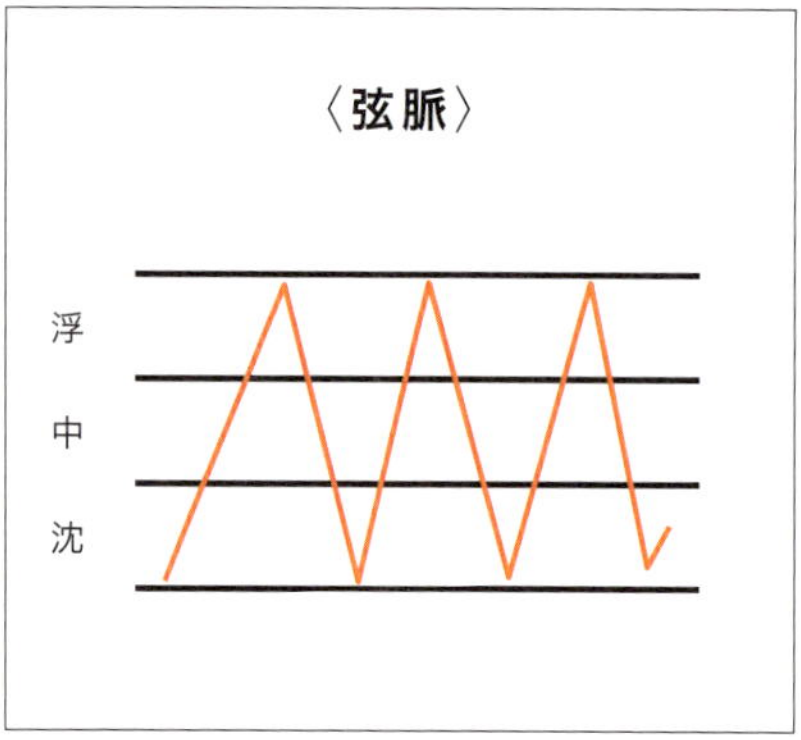

図 1-8

き、この脈が出ていることがあります。つまり、洪脈は心臓およびその周辺組織、血管系への血流増量を意味し、臨床的意味は病気の進行や陽証を表しています。

⑩細脈

糸すじのように細く感じる脈です（図1－10）。細少にして力なしで、冷え性、血流不全、低血圧症、虚血性心疾患などにしばしば現れます。他に頚肩のこり、背中のはり、腰のこわばりなど、筋硬化症のときにも出現することがあります。高齢者で左寸口の細は虚血性心疾患の疑いがありますから、注意を要します。

⑪滑脈

浮中沈の3層の脈が丸くまとまったような、あるいは玉を転がすような脈で、痰、血有余、痰気内熱とされ、実的で活動的な脈状です（図1－11）。気管、気管支の炎症時に現れたり、感冒後、痰の出る患者に比較

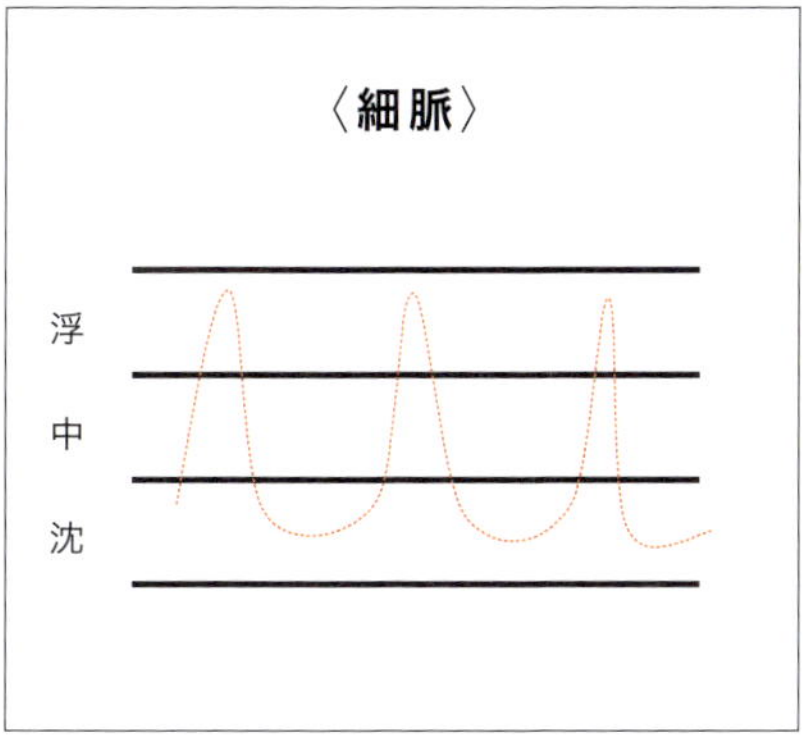

図 1-10

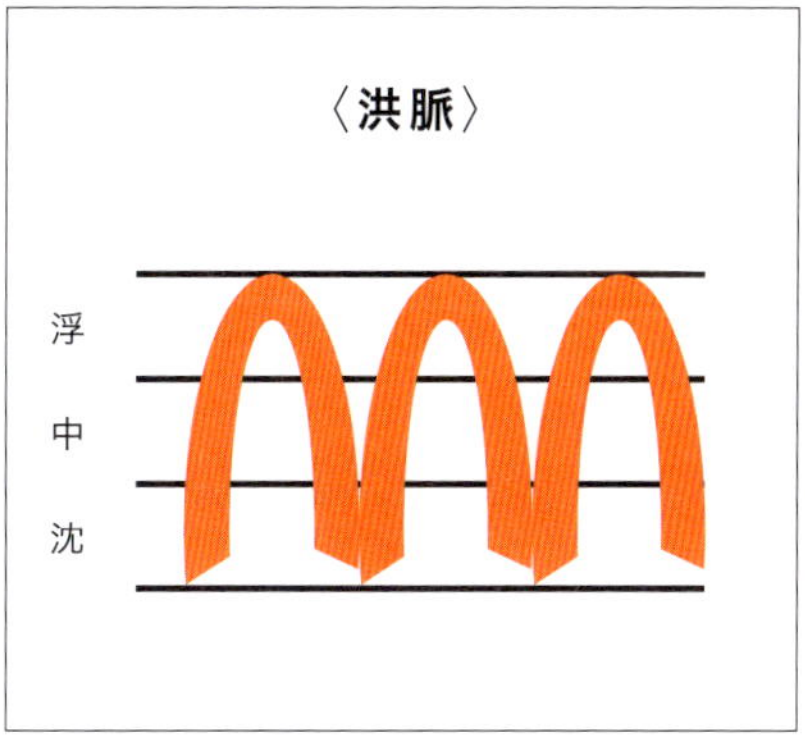

図 1-9

的みられます。ときとしてアレルギー疾患に現れることもあります。

⑫弱脈

脈が触れている感じが非常に弱く、細よりも力がない消え入るような脈です（図1－12）。この脈が出ているときは要注意で、全身疲労困憊、虚血性心疾患の状態を呈しているとみます。

⑬伏脈

指をいちばん底まで強圧して初めて力強く触れる、やや幅の広い脈で、実的な脈に相当します（図1－13）。気血の滞りや精神的鬱屈など流通の渋滞を意味します。

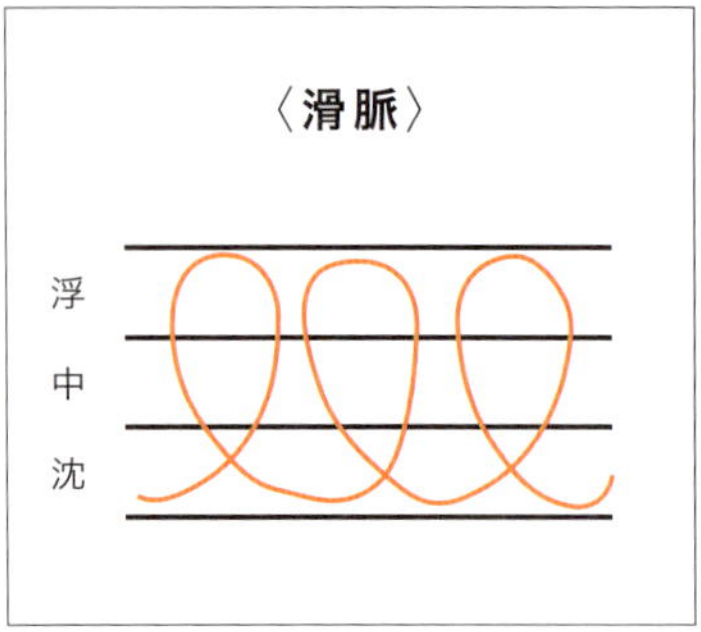

図 1-11

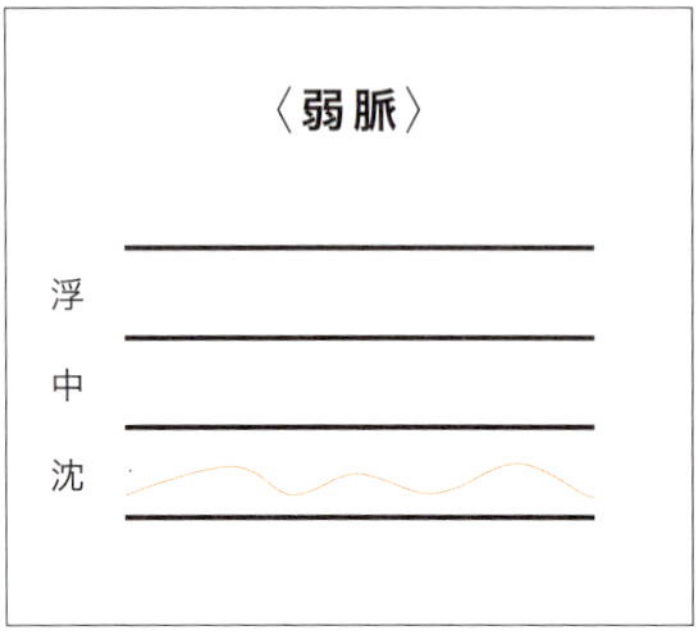

図 1-12

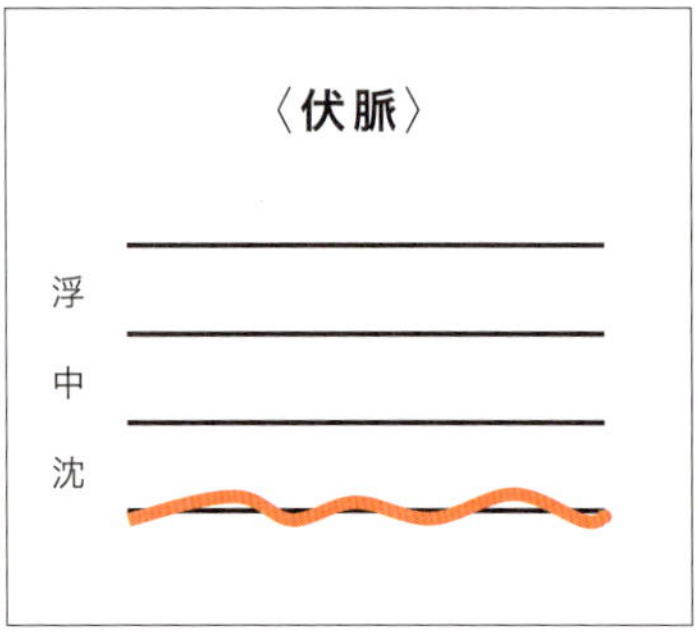

図 1-13

腹診

触診法の1つで、身体の多くの情報をすくい取ることができる非常に重要な診察です。患者を仰臥位にして、足を伸ばさせ、力を抜いてもらい、術者は患者の右側に坐して、腹診を始めます。

まず、お腹全体を触って、寒熱や腹筋の緊張・弛緩の有無を確認します。それから臍を中心に上下左右を診ていきます（図1－14、15、16、17）。臍の左側（天枢辺り）は、肝、右は肺、上腹（上脘辺り）は心、下腹（気海辺り）は腎、臍は脾に対応しています。

この根拠となっているのは、『難経』十六難で「肝脈の内証は臍の左に動気あり、心脈の内証は臍上に動気あり、脾脈の内証は臍に当たって動気あり、肺脈の内証は臍の右に動気あり、腎脈

〈腹診での押し方〉

術者の手指の第2指から第4指で対象部位をゆっくりと押さえていく。このとき、3指とも漠然と押さえては、圧痛などがわからないので、第3指に力を入れて（2～3kgの圧）、ピンポイントの対象部位の圧痛、張り、こりなどの有無を診ていく。

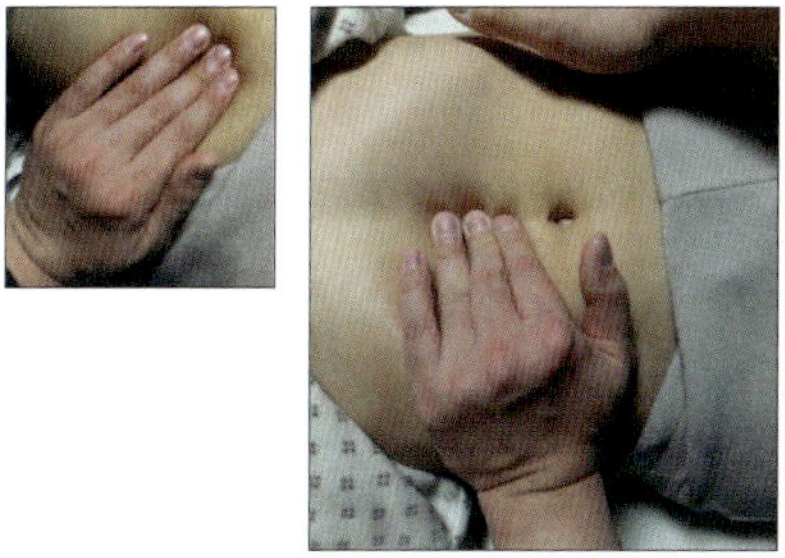

図 1-14

の内証は臍の下に動気あり、之を按ずれば牢若しくは痛む」と出ています。

また、もう1つの根拠になっているのは、いわゆる五行説で、肝、心、脾、肺、腎は五季つまり季節に振り分けています。肝—春、心—夏、脾—土用（中央）、肺—秋、腎—冬になります。

これを遡ると、『素問』の陰陽応象大論に行き着きます。五行理論（思想）というのは、自然界の諸現象を説明する方便として成り立っているものですが、天体を大宇宙とすれば人体は小宇宙であるという考え方を前提として、生命現象にこれを適応させています。

この診察は机上の空論ではなく、実際、現在でも臨床でよく利用でき、その部位に圧痛や張り、こりがあれば、実証を呈しているとみることができます。

〈腹診の箇所〉

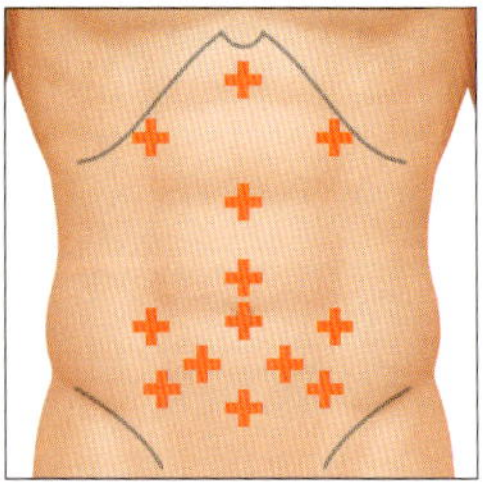

※マークの部分を主に診る。
図1-17も参照。

図 1-15

〈『難経』十六難の内証〉

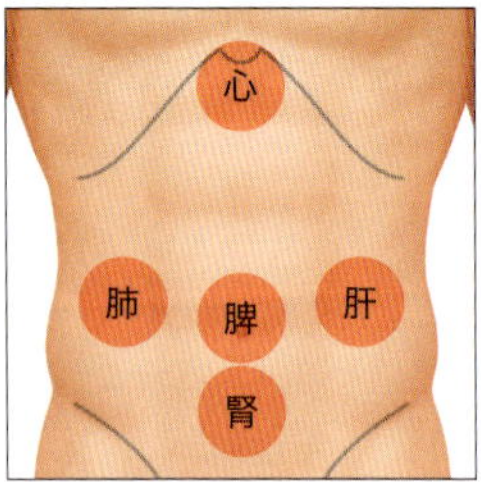

※『難経』には腹診としてではなく、
内証として示されている。
これを腹診として応用している。

図 1-16

〈腹診の概略図〉

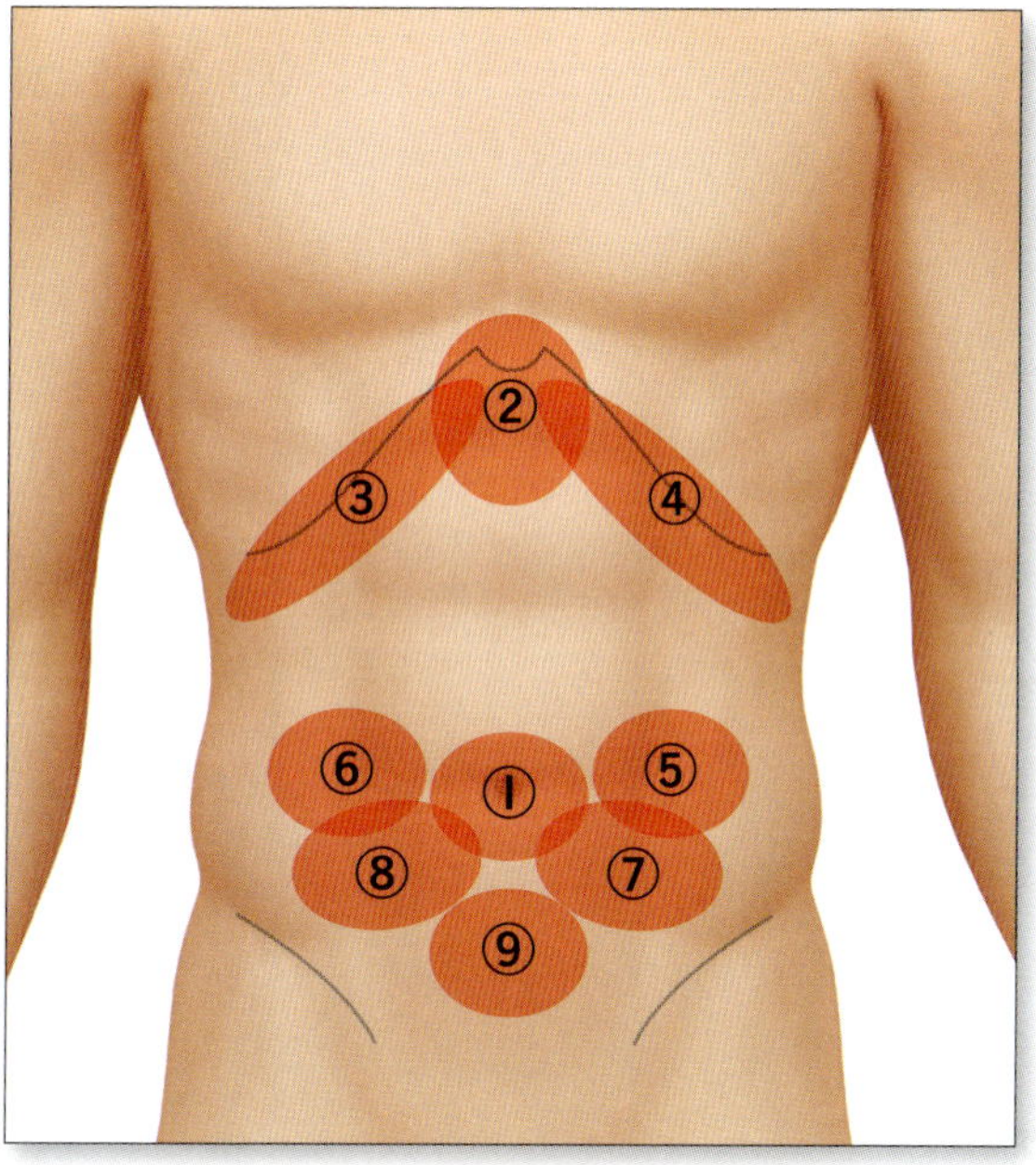

① **臍＝脾**
津液・粘膜、アレルギー

② **心窩部＝心・胃**
心臓・胃

③ **季肋部＝肝**
胸脇苦満で肝実
擦診痛は肝虚

④ **季肋部＝膵**
圧痛で脾実傾向

⑤ **左天枢＝肝**
肝門の鬱血＝肝実

⑥ **右天枢＝肺・扁桃**
肺実

⑦ **左大巨・左中注**
瘀血

⑧ **右大巨・右中注**
瘀血

⑨ **臍下＝腎**
凹なら腎虚、内臓下垂

図 1-17

腰背診

腰背診は、運動器疾患から内臓疾患、脳循環系に至るまでを診る、重要な診察法です（図1－18、19）。まず、脊柱起立筋の緊張の有無を診ます。神経過敏あるいは神経質な人は、脊柱起立筋の緊張がしばしばみられます。それから脊椎・関節も重要な情報を与えてくれます。腰椎の分離症・すべり症は、補的な刺激、施灸が効を奏します。

また、身体の重心が最もかかる骨盤の仙腸関節部の圧痛あるいは叩打痛の有無、それと仙腸関節に付着している脊柱起立筋の硬化の有無も重要です。そして脊椎の椎間関節の圧痛、

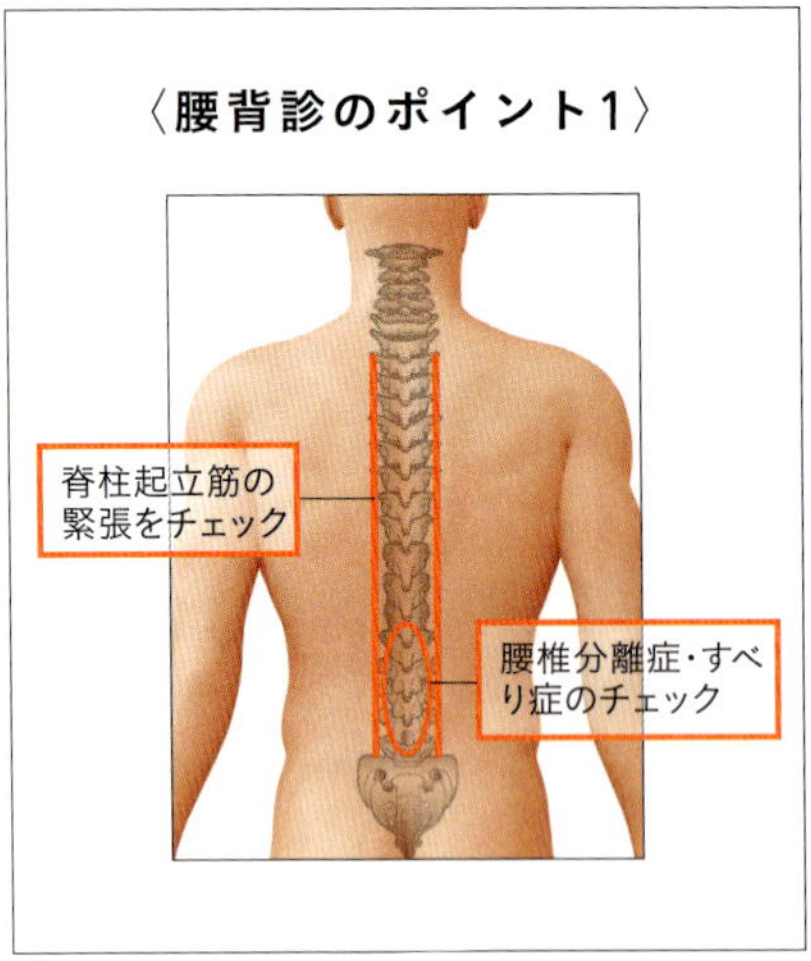

図 1-18

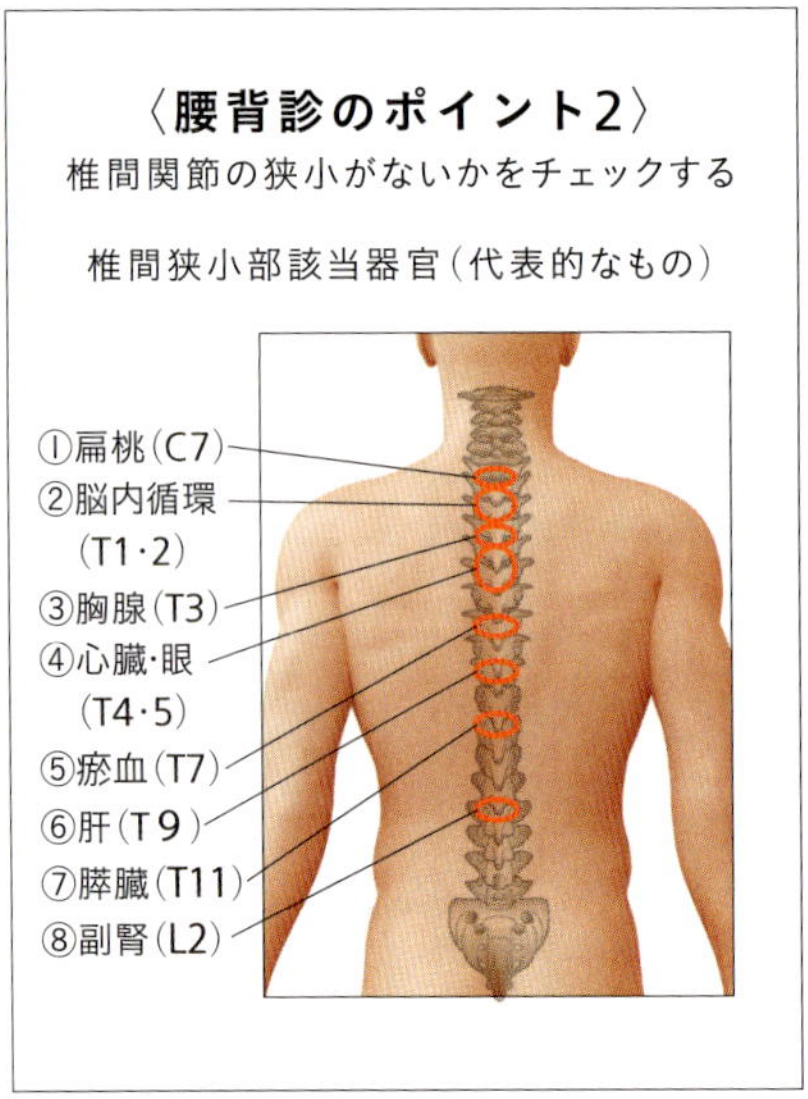

図 1-19

狭小も重要で、特に、この狭小は臓器・器官や感覚器へ分布している血管運動神経に及ぼす影響が大きく、機能低下につながっていきます。また、肩甲骨諸筋の硬化度も大切です。兪穴の圧痛も腰背診の補足的な意味を持ちます。

火穴診

各経絡の火穴、腎経の然谷、肝経の行間、脾経の大都、膀胱経の崑崙、胆経の陽輔、胃経の解渓、肺経の魚際、心包経の労宮、心経の少府、大腸経の陽渓、三焦経の支溝、小腸経の陽谷を診ます。特に陰経の反応が重要です。

この火穴は、圧痛（2～3kgの圧力を加える）反応を診ていきます。圧痛でわかることは、その経絡の実証およびその経に属するいずれかの臓腑器官に炎症、熱等の実証病変も認められるということです。

局所診

局所診には、次の5つのポイントがあります。

①天牖・翳明

天牖の圧痛は口蓋扁桃の反応で、扁桃の病変が最も現れやすい所です（図1－20）。天牖のすぐ上に位置する翳明（奇穴）は咽頭扁桃の反応が出やすい所です。

②胸鎖乳突筋

この筋は擦診あるいは圧痛で診ていきます（図1－21）。全身的・部分的な筋肉の緊張やこわばりが簡便にわかります。

③頭部瘀血

頭頂部の百会を中心に圧痛やブヨブヨ感、熱感を診ます（図1－22）。このような反応があれば、頭部瘀血の可能性があります。知的作業従事者や慢性疼痛のある人、あるいは心療内科的疾患を患っている人などに出ていることがあります。

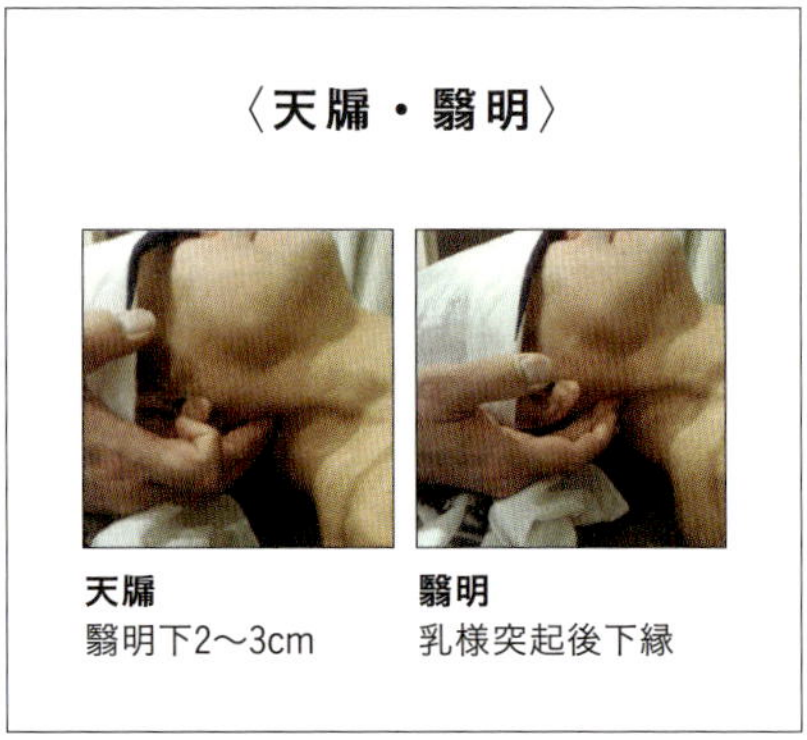

図 1-20

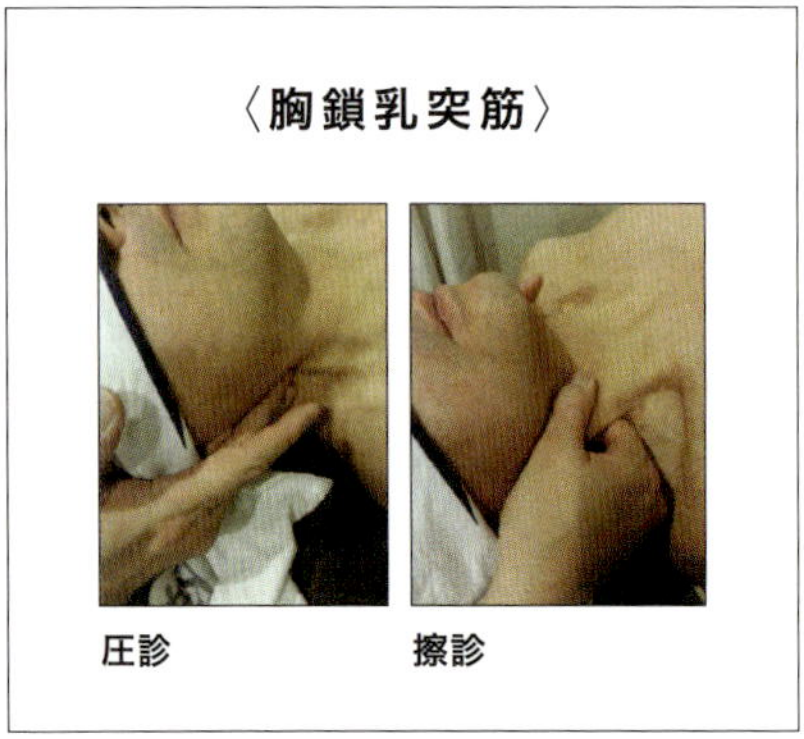

図 1-21

④肩井・陰陵泉

肩井と陰陵泉の両方の圧痛が強く、ふらつきなどの頚から上の症状がある場合は、神経疲労が疑われます（図1－23）。

⑤脛骨外縁

下腿の脛骨外縁の硬化を診ていきます（図1－24）。胃経よりもやや内側で、脛骨外縁で下腿筋の溝が狭い場合は、胃の気不足または筋肉系のこり症と診ることができます。

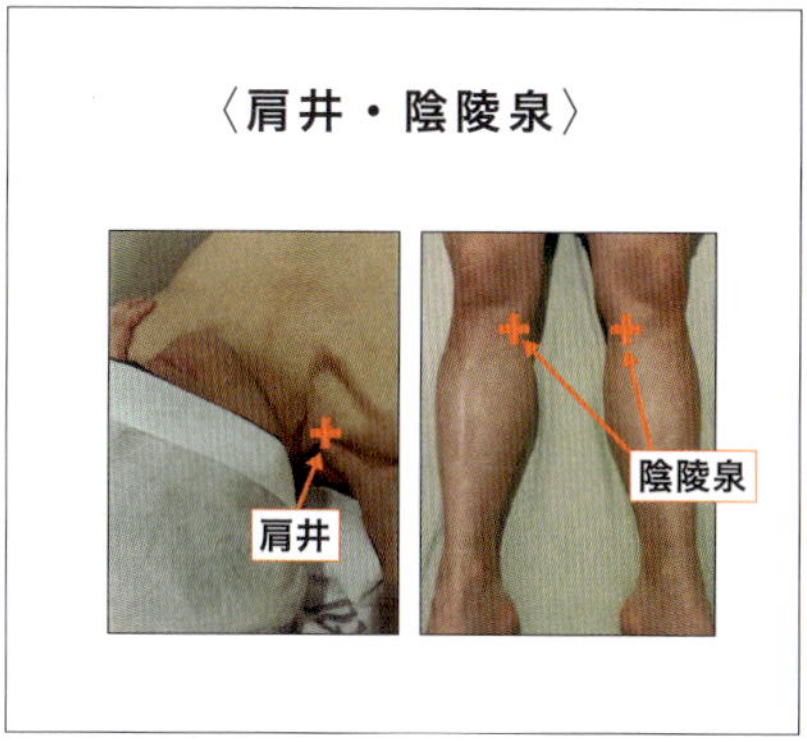

図 1-23

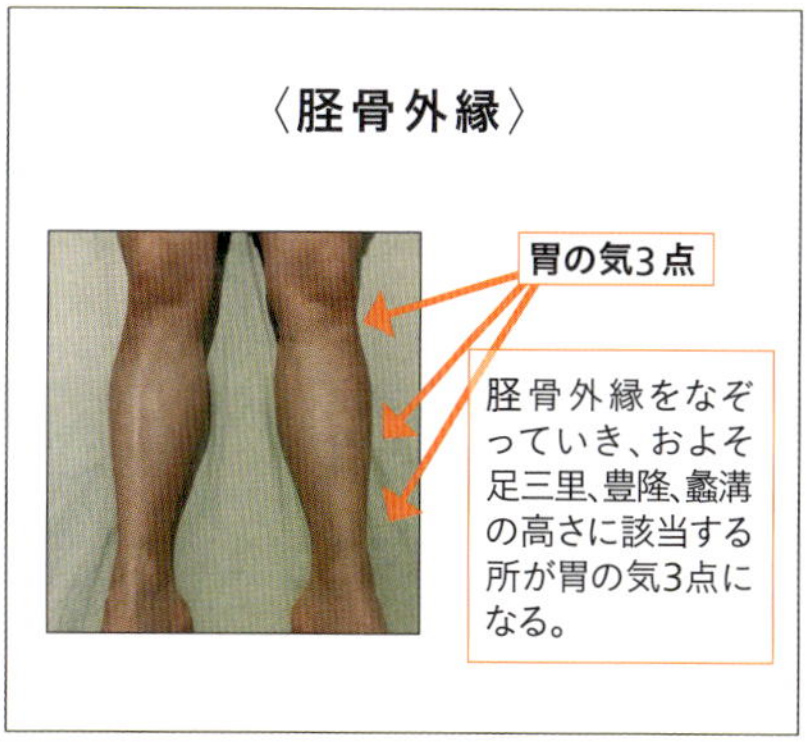

図 1-24

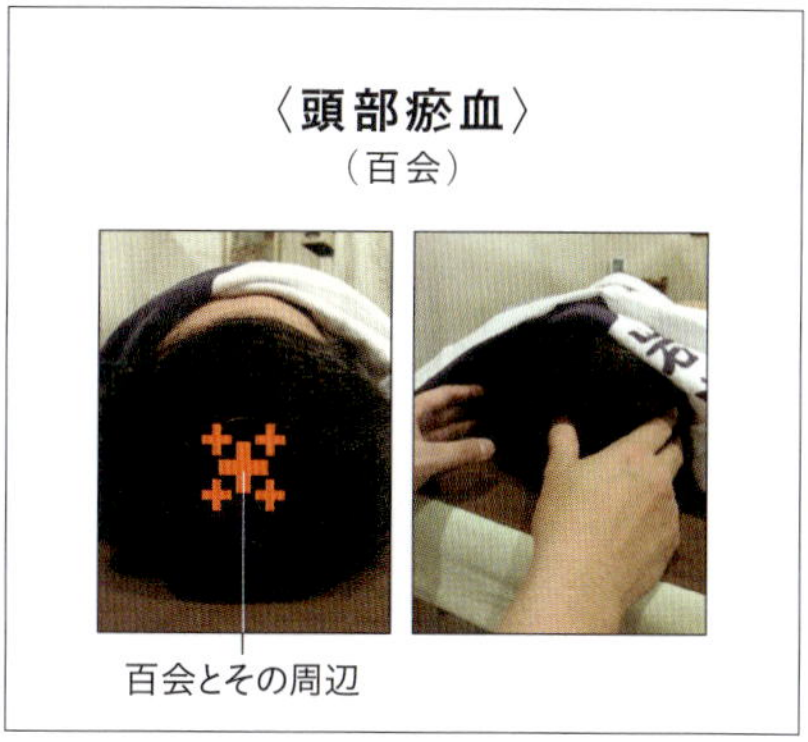

図 1-22

長野式治療の治療法

長野式治療の醍醐味である処置法は、数多く存在します。それを遂一、羅列的に取り上げていけば、新しく学ぼうとする方はどう捉えてよいか迷ってしまうでしょう。そこで先に述べたように、便宜上、自然治癒の阻害因子を5つに分け、各々に各処置を割り当てて紹介していきます。これらは、相互に関係し合っていますし、ある処置が他の処置の領域に及ぶこともあります（本項では各系処置のすべては網羅していませんが、主なものはほぼ取り上げている）。

免疫系処置

免疫系処置とは、扁桃（リンパの集合体）を基軸に、リンパ節、胸腺、脾臓、粘膜下リンパ組織などを強化する処置です。

病気が起こり、遷延化するのは、生体の防御機構の弱体化が原因の1つです。外界より侵入してきた異物や細菌、ウイルスなどが扁桃やリンパ節で戦い、T細胞などの免疫細胞の拡散によってそれが身体の弱い所に行き、多様な症状として発現していきます。生体防御の第一線基地としての扁桃は特に重要で、これを始めとする免疫系を強化することによって、根本的な治療および治癒の促進につながっていくわけです。

①扁桃処置

私たちは普段、さまざまなストレスに晒されています。職場などの対人関係からくる精神的なストレス、騒音や気候の温暖化・寒暖の急激な落差などの物理的ストレス、公害や食品添加物・栄養過多あるいは偏重などの化学的ストレス、そして病原菌などの侵入による生物的ストレス……というように、枚挙にいとまがありません。

これらのストレスは、人間の身体のあらゆる所に影響を与えます。

例えば、体温や血圧の上昇あるい

〈扁桃について〉

●扁桃とは

鼻、耳の奥、舌の付け根などに存在し、空気の入る道をぐるりと取り囲み、リンパ組織を構成して細菌などの侵入を防ぐ。

咽頭扁桃・口蓋扁桃・耳管扁桃・舌扁桃、咽頭後壁のリンパ組織

●扁桃の構造

①咽頭神経叢の支配下にある(迷走神経・舌咽神経・頚部交感神経など)。

▶扁桃は肉体や精神の疲労の影響を受けることがわかる。

②さまざまな動脈・静脈が入り込み、そこからリンパ球が必要なだけ流入してくる。

③細胞を上回る数の常在細菌がおり、外来の病原菌の定着を妨げることで身体を守る役割を果たしている。

▶さまざまな肉体的・精神的ストレスを原因に、扁桃機能が弱ることで、血中に乗り全身に回った病原菌と常在細菌との戦いがあちこちで起こり、運動器や内臓器を傷つける。扁桃の二次感染、扁桃病因論。

●扁桃の診察

脈状診:軟脈や浮脈　　**脈差診**:右の寸口の沈

火穴診:魚際　　**局所診**:天牖・翳明

腹　診:右天枢

図1-25

は低下、血流障害、自律神経の過敏症あるいは鈍化、内分泌異常や自己免疫疾患、アレルギー疾患の増大などです。

また、ストレスは最も大切な生体防御の最前線である口蓋扁桃（唯一、外に晒されている免疫臓器）の血管を収縮させたり、炎症を起こさせたりして、免疫細胞の機能低下を招きます（図1－25）。炎症物質の毒素は、血液やリンパを介して、弱体化している臓器・器官・結合組織などにも害を及ぼし、二次的に急性あるいは慢性の症状、疾病を引き起こすことになります。

扁桃処置は、免疫系強化の中心となる処置です（図1－26）。**この配穴は扁桃7点で、照海、天髎、手三里、大椎です**。ただ、症状や体型に応じて、照海を復溜あるいは築賓、太渓に、手三里を曲池に替えてもよいでしょう。

照海は、副腎（皮質、髄質）に信号を送り、特に髄質からアドレナリンを放出させて、これが免疫の増大につながると考えられます。天髎は、頚部リンパ節に相当し、口蓋扁桃の異常が出やすい部位です。なお、翳明は咽頭扁桃の反応点です。手三里は、大腸経で肺経と表裏関係にあり、肺経の免疫系とつながっています。大椎は、咽喉頭部の血流を促進します。

それから、これらを強化するのが施灸です。慢性的で頑固な症状には、この扁桃7点への施灸が大事です。

〈扁桃処置〉

▶基本の経穴は、照海、天牖、手三里、大椎で、その他の手足の経穴は使い分けていく。

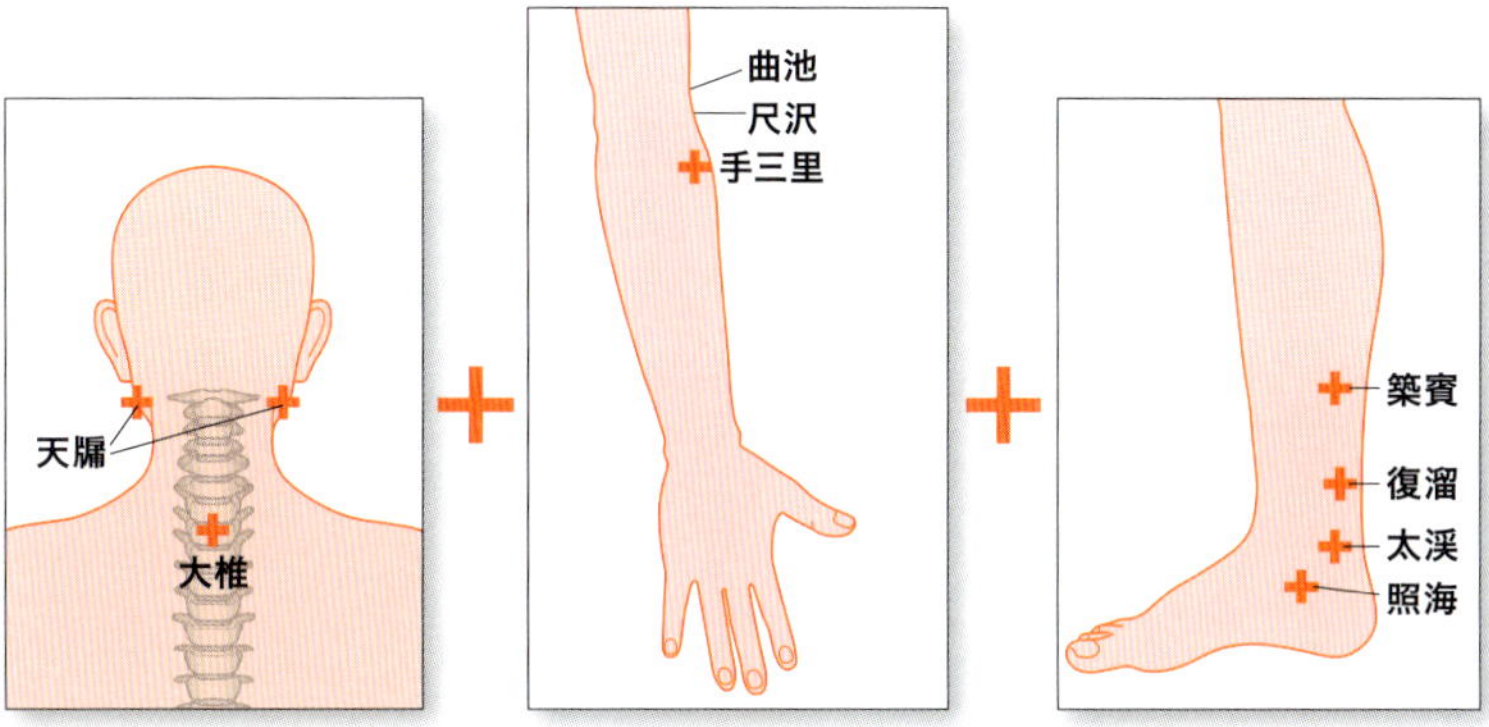

各経穴の効能

天牖：乳様突起の後下際。「牖」は窓の意味。ここから正気を取り入れる。扁桃支配神経を介して扁桃炎による患部の血行不良を改善。免疫グロブリン（抗体）産生促進。

大椎：C7とT1間。風邪のときなどは多壮灸を行う（棘間が非常に狭かったら後述の横V字椎間刺鍼という手もあり）。

手三里：慢性化した疾病など。

尺　沢：長野式尺沢はやや曲池寄り。瘀血・肺実、喘息など。

曲　池：急性時・咳。

照海：腎虚、他。

築賓：肥満・皮膚疾患・解毒他。

復溜：痛みに過敏・腎虚、他。

太渓：咳の出る人・喉・鼻症状、他。

図 1-26

②粘膜消炎処置

古典では「六淫の病邪が肺を侵すと痰を多く生じ、脾陽が虚弱であって水湿が停滞し留まるとやはり痰になる」と説かれています。これは今風に解釈すると「呼吸器系の粘膜が外部から侵入してきた病原菌やアレルギー因子などによって炎症を起こし、消化器系が弱まり栄養障害が起きると、二次的に免疫機能が低下を来たす」と考えられます。さらにいえば、粘膜から分泌される抗菌物質の弱体化によって炎症が長引いてしまうのです。六淫とは、病因となる風・寒・暑・湿・燥・火の外邪の総称です。はるか古代において、疾病は六淫が体内に侵入するために起こると考えられていたようです。

さて、私たちの粘膜消炎処置は、諸器官の粘膜に及んでいます（図1－27）。鼻粘膜を始め、咽喉頭・気管・気管支などの呼吸器系粘膜、口腔・食道・胃・腸などの消化器系粘膜、膀胱・尿道などの泌尿器系粘膜、子宮・膣などの婦人科系粘膜の炎症を抑える処置です。

脈状では、滑が打っていることが多く、ときには軟を見いだすこともあります。滑は指を沈めると、球を転がすように触れる脈です。

基本的処置は脾経を使い、商丘・三陰交・陰陵泉・章門・脊中・脾兪になります。なぜ脾経かというと、脾は津液を主り、水分代謝に深く関与しています。この働きが悪くなると、全身の水分代謝はもちろん、諸器官粘膜の代謝に支障を来たし、「痰」や「湿」と呼ばれるさまざまな病態を引き起こす物質をつくり出すといわれています。

そのため脾経を使うことで、粘膜および粘膜下のリンパ組織（これも津液に入る）に刺激を与え、この働きを正常に戻し、強力な粘膜下のリンパ組織を活性化すると考えられるのです。

臨床的観点からは、次のことがいえます。

●呼吸器系・消化器系には主として脾経、肺経、心包経を用いる。

●泌尿器系・生殖器系には主として肝経、肺経を用いる。

●各気水穴を使っていく。気水穴を主に補して、火穴を瀉す。

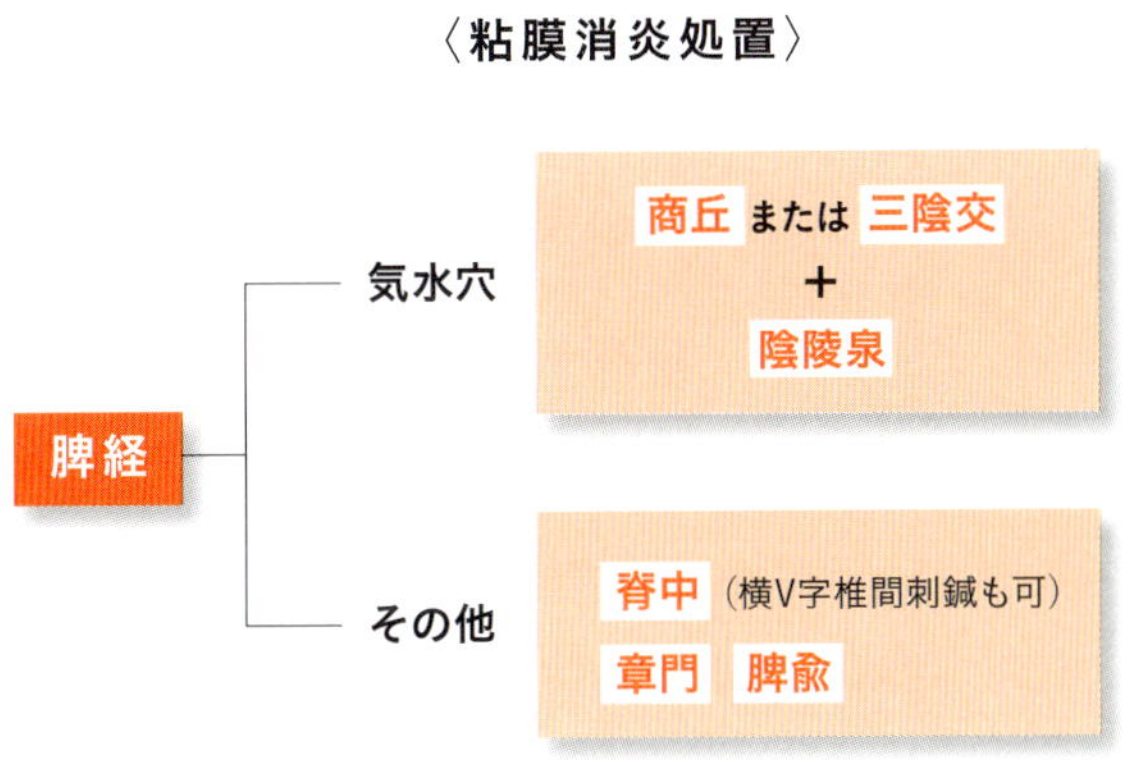

部位別の粘膜消炎のポイント

●第一に脾経が重要

●どこの臓器の粘膜に炎症が起きているか▶その臓器に関係している経絡はどこか▶臓器によってどこの火穴に反応が出やすいかを知る▶火穴に反応が出たら気水穴処置

図 1-27

③アレルギー処置

アレルギーが通常の免疫反応と違うところは、ある特定の抗原と接触することによって起こることです。数日から数年の潜伏期間を経て、抗体の産生が始まり、身体が過敏状態になります。つまり、特定の抗原に対する後天性の特異的過敏反応、病的な免疫反応です。

アレルギーは多くの場合、アレルゲンに繰り返し晒されて、抗体などが産生された後に、再び同じアレルゲンによって発症します。アレルギー反応はさまざまな臓器・器官で起こり、反応の起こった場所によって多様な症状が出ます。

通常は、アレルゲンが入った場所でアレルギー反応が起こります。

例えば、空気中にあるアレルゲンでは、呼吸気道でアレルギー性疾患が起こり、食物アレルゲンなら消化器にアレルギー症状が出ます。また、アレルゲンが血液に入って全身を巡ると、循環器の症状や皮膚に蕁麻疹などの症状が発現します。

アレルギー性疾患に対する基本的処置は、腰兪・命門・脊中・意舎・巨厥兪・身柱です（図1－28）。

〈アレルギー処置のポイント〉

アレルギー処置に共通してよく使う経穴

- 内ネーブル４点（臍際）………「脾」「肺」
- 命門（L2 椎下）……………………「腎」
- 巨厥兪（T4 椎下）…………………「目」
- 脊中（T11 椎下）……………………「脾」
- 意舎（T11 脾兪の外側）………「脾」
- 身柱（T3 椎下）……………………「肺」
- 腰兪（仙骨裂孔）…………………自律神経調整

※全部を治療するということではない

図 1-28

これらは、自律神経の調節、副腎皮質ホルモンの分泌、血糖の調整、血液循環の促進にも役立つものです。

それから、アレルギー処置の中で特筆すべきものがあります。内ネーブル4点処置です（図1−29）。これは、後述する交感神経抑制処置の外ネーブル4点処置と多少違い、臍のすぐ傍ら（5㎜以内）に取ります。臍の傍らから1㎝も離れてしまうと、効果が消失してしまいます。この部位の雀啄刺鍼、皮内鍼（必ず平軸を使用）は必須で、特に花粉症に効果てき面です。私は、臨床で数多く経験しています。

なぜ臍の傍らなのでしょうか。臍は、五臓では脾に相当します。先述したように、脾は津液を主り、この津液は粘膜に及んでおり、粘膜下リンパ組織を活性化します。花粉症などのアレルギー反応は、鼻粘膜上で

〈内ネーブル4点処置〉

内ネーブル4点
（臍際の上下左右5mm以内を取る）

▶粘膜下のリンパ組織を活性化させる作用が望まれる。

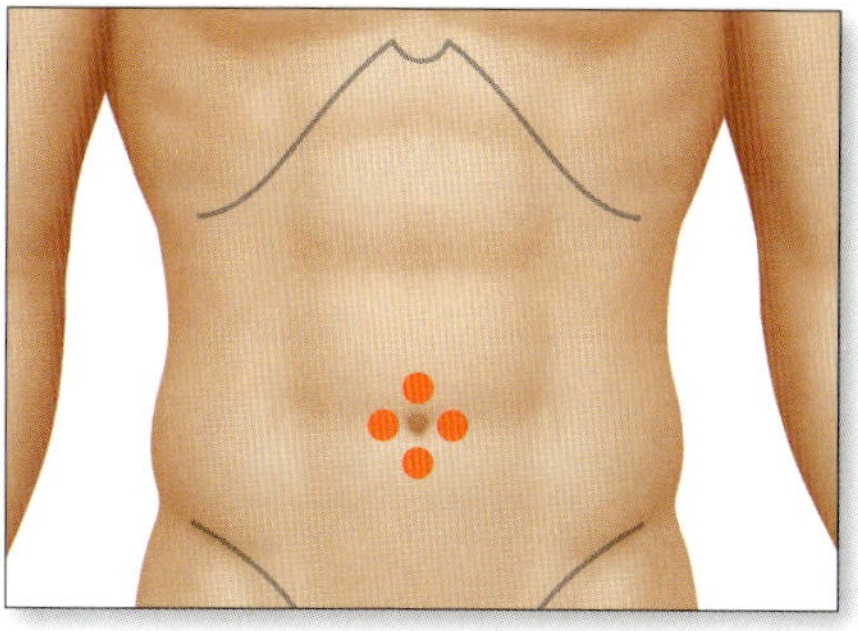

図 1-29

起こっているわけですから、これを抑える働きをすると考えることができるのです。

血管系処置

臨床において、血流の異常である血滞（瘀血）、虚血、充血、鬱血を調整することは、病気を治癒するためにとても重要です。これなくして、根本的な治癒はあり得ないといえます。「血」は東洋医学では「気・水・血」といわれるように、人体を構成する重要な要素です。

「血」に関する言葉は、血虚、瘀血（血瘀）、血証、乾血、古血、血実、瀉血……というようにたくさんあります。「気は血の師であり、血は気の母である」（『難経』）などに代表されるように、古来、「血」は「気」と別もののようで、相互に協調して一体となって働くものである（不即不離）とみなされてきました。営気もその一例です。「気」の変調が「血」にも影響を与えます。

長野式治療では、気と不即不離の血流の改善につながる処置がいくつもあります。ここでは、「血」の過不足、変調に対する血管系処置の「血を動かす」ことに焦点を当てて、解説していきます。

①瘀血処置

東洋医学において、最も知られている血液病態は瘀血ではないかと思います。瘀血は非生理的血液およびその渋滞の総称をいい、病理概念の1つになっています。古くは悪血、蓄血、古血ともいわれ、血の変調の代表的なもので、慢性症の体質的要因にも関わっています。瘀血の原因には、次のような説があります。

●打撲による皮下出血、熱性疾患による溶血、月経血の停滞、遺伝体質、門脈系の循環障害によるものである。
●身体のどこかに原病巣があって、これが元になって遠隔諸臓器・組織に反応性の器質的または機能的障害を起こす。

後者の原病巣説は、高名な漢方医の藤平健氏の見解で、長野潔の「扁桃に異常があると、瘀血ができやすい」という臨床上の認識と相通じるところがあるようです。

少し詳しく見ていきます。瘀血という病態を、西洋医学の側面（狭義の血管異常による血管の滞り）から見た場合、次の三大要因が挙げられています。

（1）血管壁の変化
（2）血球成分の変化
（3）血流の変化

（1）の血管壁については、外傷などで障害された血管壁は、内皮細胞（血管の最も内側）から生産されるマクロファージが白血球の増加を促し、血管中膜の平滑筋細胞をも増殖させ、血管障害を推進させるといわれています。このマクロファージは、顆粒球と同じ骨髄性幹細胞からできているので、交感神経過緊張を起こし、血管を収縮させ血流を悪くします。

(2)は血小板のことをいいます。この値が高いと、血小板は内皮細胞同士の間に広がった隙間に取り付いて、血栓をつくるため血管障害の一つの目安になると考えられています。

(3)は血液の流体力学(レオロジー)という言葉と関連があります。「環流圧(血管内を巡る圧力)が高ければ血流が速く、低ければ淀むように、血流も水の流れと大差はありません。弯曲部や分枝部などは、乱流が生じて血管内腔に機械的な刺激による変化を起こします。特に、分枝部の外側や弯曲部では、ずり応力(血管の中心部は速く、血管の壁側は遅い)が低く、内皮細胞が活性化されて、単球やリンパ球が沈着しやすく、コレステロールの透過性も高まり、血栓ができやすくなっています」とされています(田辺達三、『血管の病気』)

腹部瘀血(図1-31)で渋滞しやすい所は腹壁の動脈です。特に複雑な血管網を形成している外腸骨動脈の続きには、大腿動脈から枝分かれした動脈群があります。その1つが浅腹壁動脈であり、また浅腸骨回旋動脈であると考えられます。他にも、下腹壁動脈や上腸間膜動脈が挙げられます。浅腹壁動脈や浅腸骨回旋動脈は、鼡径部から下腹部にかけて複雑に分布しています。血液の流体力学の視点を借りれば、枝分かれして弯曲した複雑な血管網に血液が渋滞しやすいのは、容易に理解できると思います。

〈腹部瘀血について〉

●**腹部瘀血の診察**
大巨　中注

ポイント：硬く触れる抵抗、圧痛、強い拍動などがあるかどうか

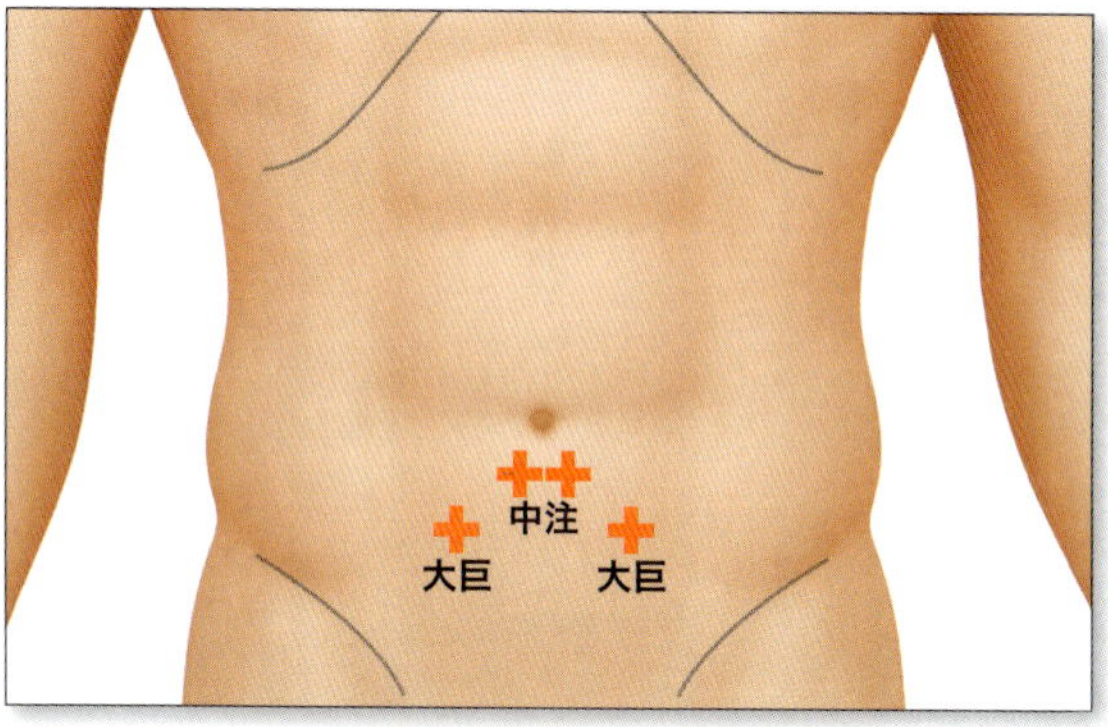

●**腹部瘀血の解剖学的起因**

①肝門脈に起因するもの
門脈は弁がない▶逆流して下に落ちてしまう

②浅腹壁動脈、浅腸骨回旋動脈に起因するもの
「中注」辺りは腹腔内の血管の吻合が多いので充血が起きやすい

図 1-31

瘀血処置を施す目安は、腹部の中注から大巨の圧痛や張り、こりを探っていきます。臍下両傍の中注から大巨にかけて、腹壁の動脈群が複雑に分枝し、吻合して血管網を形成しているので、血流障害があれば圧痛などの反応が出やすいのです。

処置はまず、中封に刺鍼雀啄し、留鍼したまま、次に尺沢にも同様にやっていき、これを左右両側に行います（図1－32）。

なぜ中封かというと、五行穴の中で、この穴は「経」穴に相当します。『難経』でいわれているように「経は長い流れのことで、その中に脈気が流れ注ぐ」ことが考えられます。

肝経を使うのは、肝は「血」の体内

〈腹部瘀血処置〉

ポイント：中封に雀啄して抜かずに、そのままにしながら尺沢に雀啄を行う。

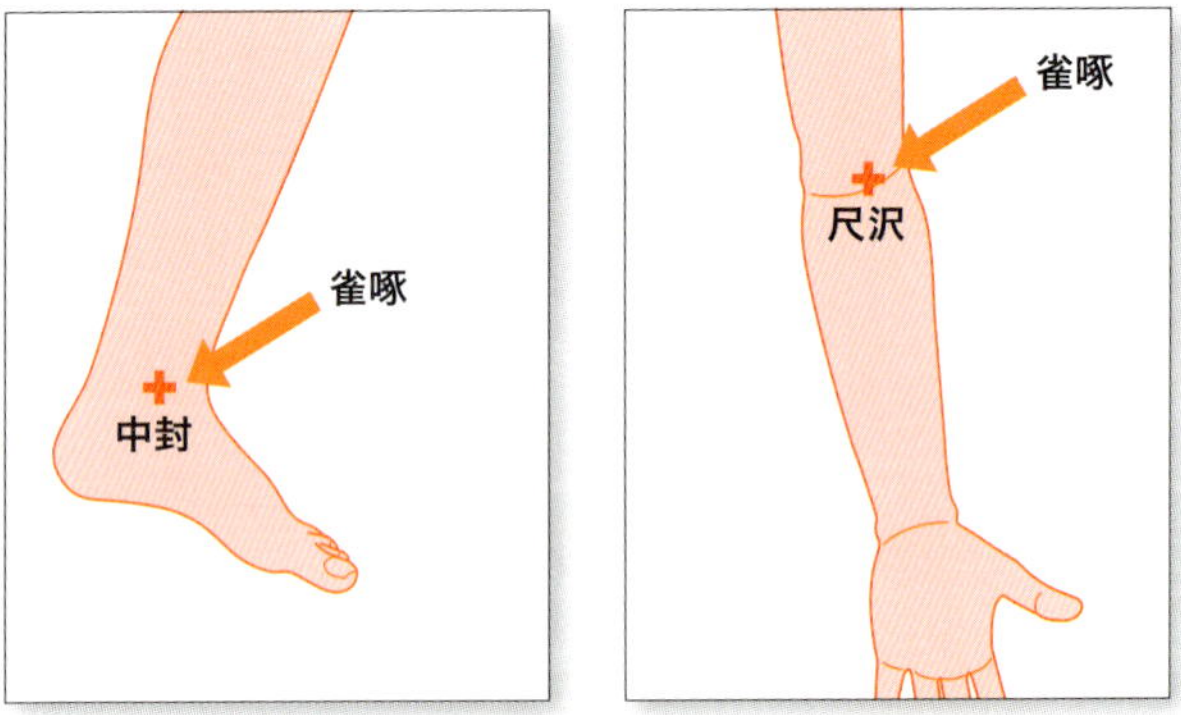

中封と尺沢をつなぐようなイメージで刺鍼する

図 1-32

での配分を調節する働きをしており、必要な場所に必要なだけ血液を送り出し、また蓄えておくことができるのに関わる経絡だからです。

尺沢は肺経であり、瘀血には扁桃が関与していることが多いので、組み合わせて使います。それと手足のバランスも考えています。この穴は「合」穴に相当します。これは合流するということであり、調整するという意味も含まれていると考えられます。

臨床は理屈・理論より事実が元になっています。経験の集積の上に、この組み合わせができ上がったわけです。

他に瘀血処置で使うのは、血会である至陽、膈兪があり、また鼡径部の血管裂孔という大腿動脈が通っている狭い所（血流障害が起きやすい）の圧痛等の反応部位や、恥骨付近の圧痛部位に雀啄を施していくとよいでしょう（図1－33）。

3章（症例9：P160参照）で取り上

〈瘀血が取れにくい場合の処置〉

ポイント

- 瘀血塊の下に刺鍼雀啄を行う。
- また、瘀血によって、恥骨角付近や鼡径部血管裂孔付近に圧痛がある場合は、それぞれの部位に雀啄を行い、瘀血を流れやすくする。

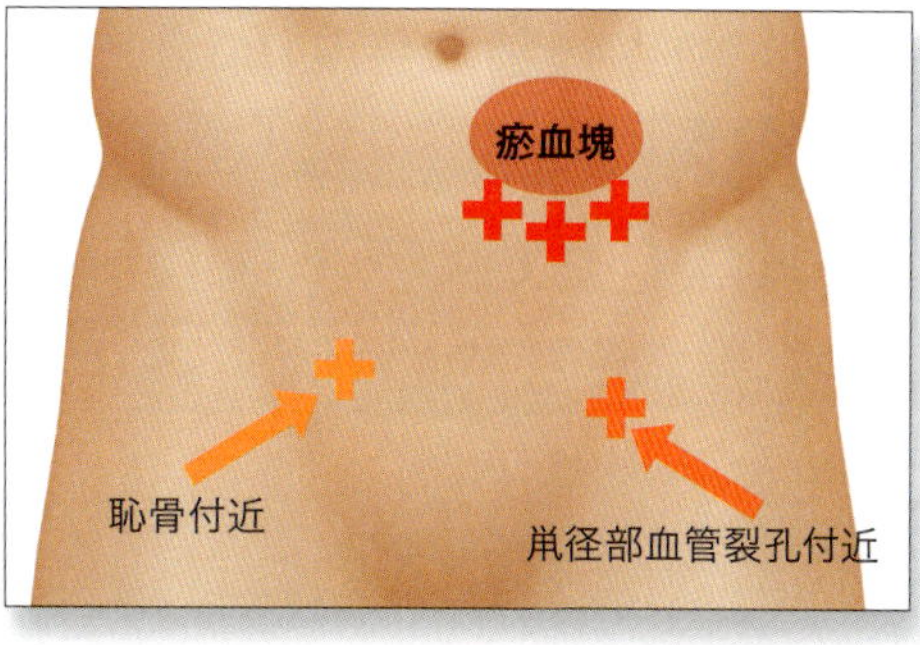

図 1-33

げていますが、全身倦怠、疲労困憊で瘀血症が酷く、お腹の圧痛もさることながら、しこり様、つまり瘀血塊があって押さえると顔をしかめて痛がる患者がいました。中封に留めて雀啄を長くし、尺沢も長めの雀啄をしていきました。

するとしばらくしてお腹を押さえるとしこり様が消えていたのです。患者もびっくりしていましたが、私もあまりにしこり様のものが綺麗になくなっていたので、この処置の威力をまざまざと感じたのを、15年以上前のことですが、昨日のように思い出します。

②心臓血流促進処置（強心処置）

血管系処置の中で、最も注意を要し、他の処置より優先させるのが、この処置です（図1－34、35）。心機能が低下（虚血性心疾患状態）すると胸部および心窩部の疼痛あるいは違和感、全身倦怠、疲労困憊の様相を呈します。脈状は弱短で、特に左寸口の心の脈が弱を呈し、

〈心機能低下の脈状〉

脈状は弱短（細・沈・虚・ほとんど触れない）
例：虚血性心疾患、全身倦怠、疲労困憊

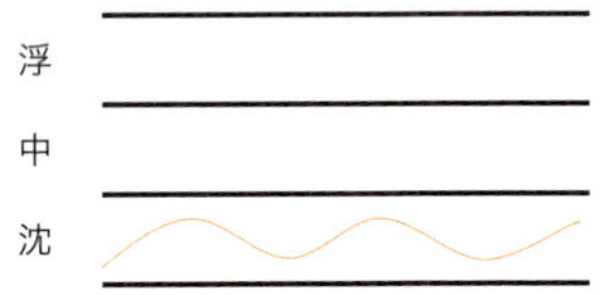

図 1-34

〈心臓血流促進処置法〉

▶三陰交・陰稜泉・労宮に留鍼20～30分。強心処置ともいう

※百会を加えてもよい
※労宮に圧痛がある場合は心包経気水穴の間使・曲沢を使う

図 1-35

関上尺中の脈もほとんど触れていません。

処置は三陰交、労宮、陰陵泉に脈状が強くなるまで20～30分留鍼を行います。このとき、他の処置はしません。ただし、百会に追加で留鍼してもよいです。

心臓循環系を強化する心包経と津液に関与する脾経を組み合わせることによって、全身の循環系を賦活させるのです。

③肝門脈鬱血処置

漢方の大家である、湯本求真氏は次のように述べています。

「門脈は弁膜装置がなく、下流の肝内静脈は多数の分枝があり、また肝実質内を通過して抵抗が大きいため、血圧が微弱で逆流しやすい。もし瘀血があればこの血圧は無くなり、静脈の本源である腹内諸臓器・組織の血管内に瘀血が沈着し、血塞を作る。特にこの本流の観ある下腸間膜静脈の起始部(下腹部)は最も血塞が生じやすいことになる」(長濱善夫、『東洋医学概説』)

これは、瘀血との関連をいっていますが、広義の瘀血というのは、腹壁や腹膜の動脈だけでなく、静脈の鬱滞も包含されているようです。

瘀血と関係の深い肝門脈は、主に身体の主静脈が合流していますが、その中で、上腸間膜静脈以外の下腸間膜静脈、脾静脈は体の左側に分布しています。瘀血でも、腹部の反応が左に出やすいですが、肝門脈の鬱血などの血流障害も、左に出やすい理由がわかってきます。

門脈には、肝臓を経由しないで大静脈系につながるさまざまな側副路（バイパス）があります。このような連絡路は、普段はほとんど機能していませんが、門脈に通過障害が起こると、門脈系の血液が大静脈系に還流する、このバイパスが働き出します。肝臓内に鬱血、炎症等の何らかの原因があると起こるわけです。この通過障害で門脈の血流抵抗が増大します。いわゆる、門脈圧亢進です。

　このときにできるバイパスは3つあり、その1つに直腸静脈系があります。門脈の亢進のときに直腸静脈は、内腸骨静脈から下大静脈を通っていきます。しかし、このとき直腸静脈網の流れをよくしていくと（特に上直腸静脈は門脈に流入する）、門脈の流れもよくなっていきます。このようなことが根拠となって、肝門脈鬱

〈肝実処置1（遅脈）〉

処置穴：左会陽と右大腸兪

左会陽には1寸6番〜2寸4番の鍼で上仙の方向（図の矢印の向き）に向けて横刺

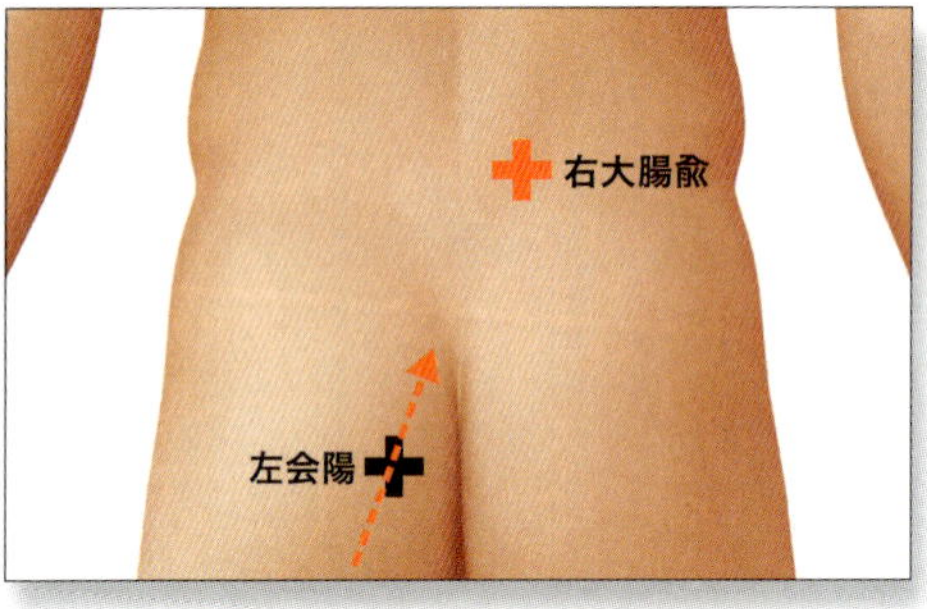

図 1-36

血処置ができたのです。

　この上直腸静脈は、下腸間膜静脈から門脈に続いていますが、下腸間膜静脈は身体の中心から左側に位置します。**そのため、処置穴は左会陽となっていますが、無論、右に施しても差し支えありません。それと大腸の兪穴である右大腸兪。**右を使うのは、左右のバランスを取るためです（図1－36）。扁桃処置や副腎処置の配穴は、上下のバランスを取っています。

　数脈が強いときは、肝以外の臓から肝門脈鬱血の肝実証を抑え込みます。**使う経穴はすべて右側（肝臓側）で、復溜（腎）、漏谷（脾）、尺沢（肺）または曲池（大腸経）、郄門（心包）、**

〈肝実処置2（数脈）〉

処置穴：右復溜、右漏谷、右曲池、右郄門、右少海

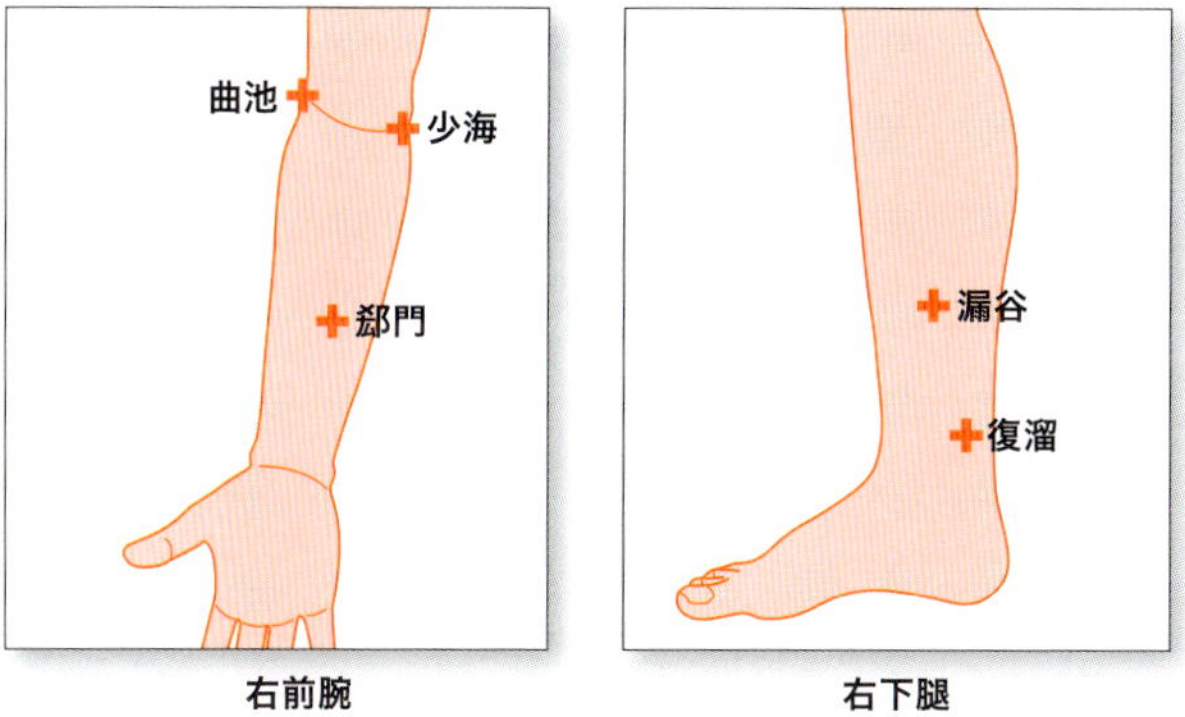

右前腕　　右下腿

図 1-37

少海（心）です（図1－37）。

難病疾患の一つに特発性門脈圧亢進症というものがあります。この疾患の場合でも食道静脈瘤発生までには至っていない場合、この処置は試す価値は十分あります。

④骨盤虚血処置

一般的な冷え性、低血圧、低体温や更年期障害、初老期以後に起こりやすい足腰の冷え、肩こり、目のかすみ、倦怠感、易疲労、頭痛、頭重、手足のしびれなどの症状の原因となる骨盤虚血状態に対する処置です。

脈は細脈、それから血虚（図1－38）という中が空の血流の弱い脈状を呈していることが多く、手足以外で、

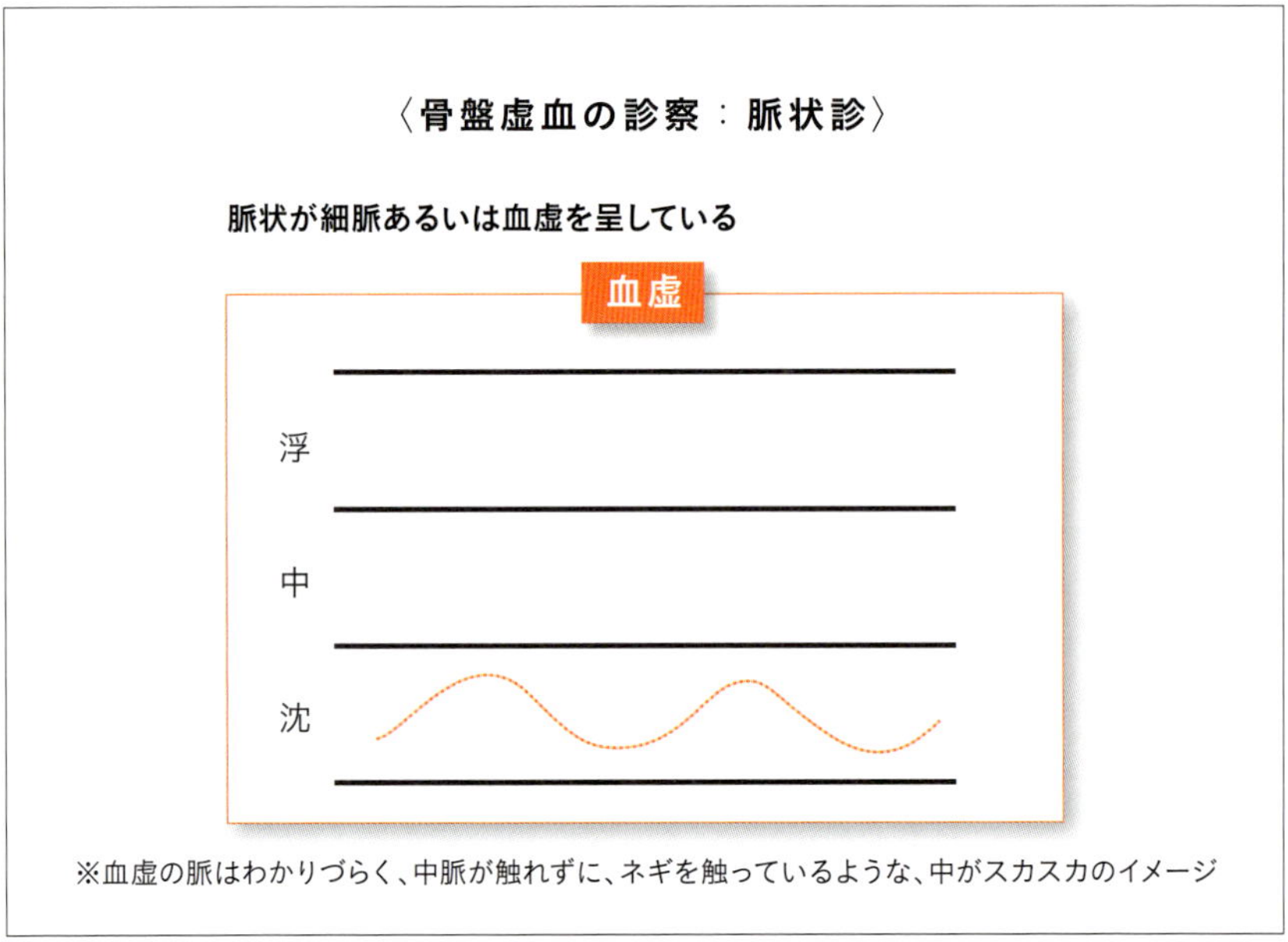

〈骨盤虚血の診察：脈状診〉
脈状が細脈あるいは血虚を呈している
血虚
浮
中
沈
※血虚の脈はわかりづらく、中脈が触れずに、ネギを触っているような、中がスカスカのイメージ

図 1-38

〈骨盤虚血処置〉

①三陰交と内関（または郄門）に雀啄補鍼と施灸を行う
血海を加えてもよい

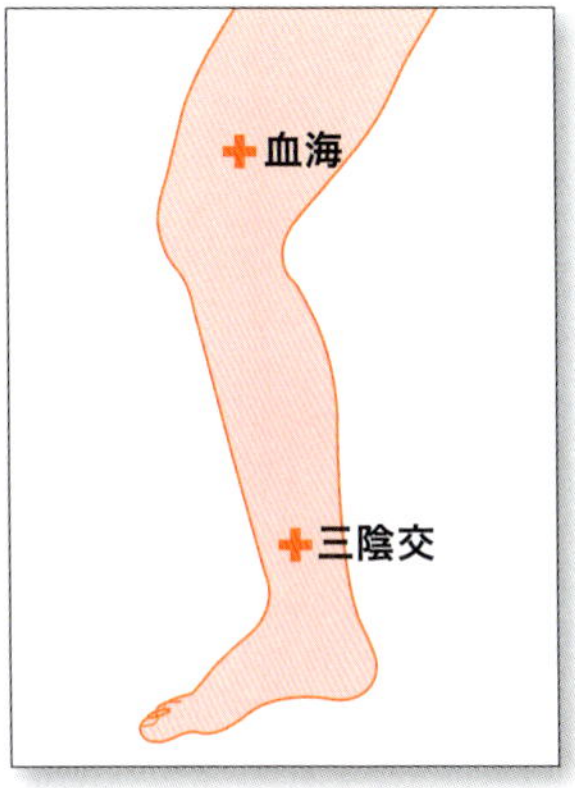

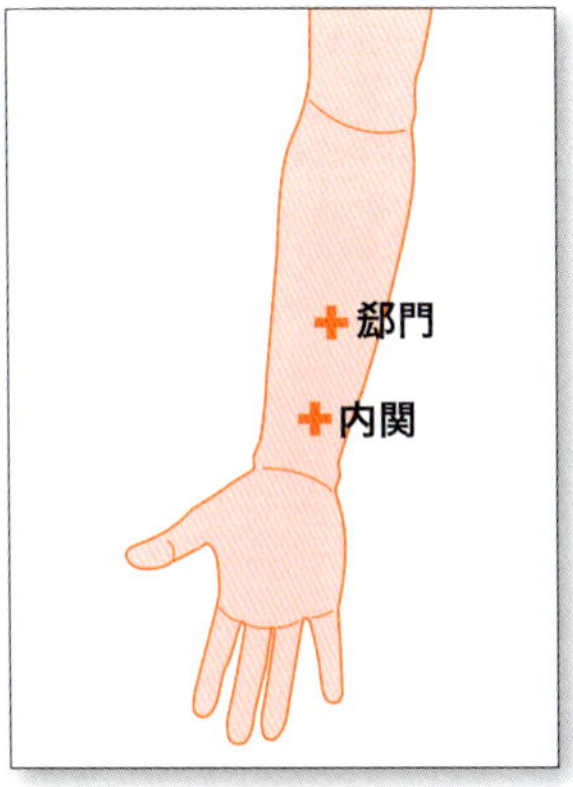

②骨盤部の八髎穴や大腸兪などの反応点に灸頭鍼を行ってもよい

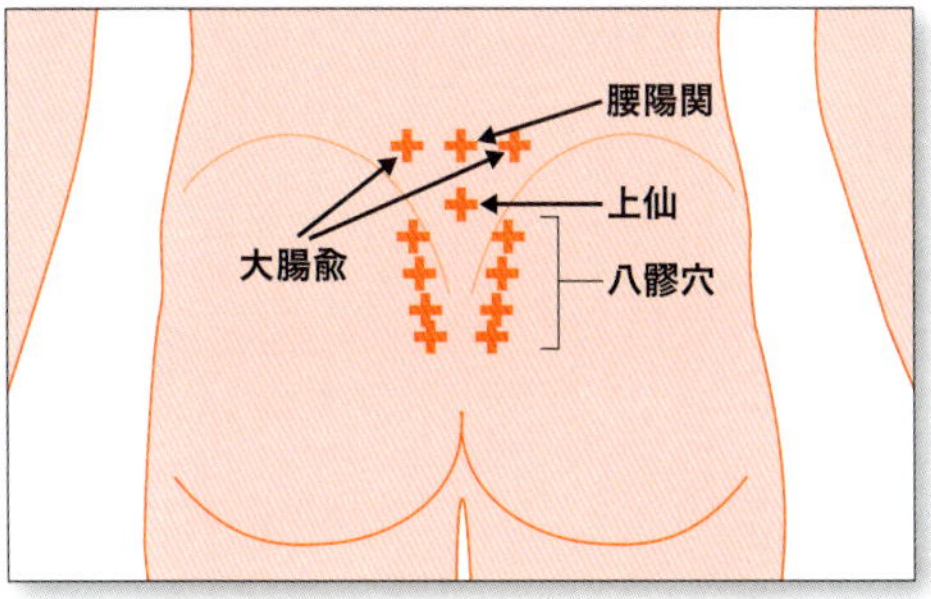

図 1-39

お腹の冷えもしばしば認められます。

処方穴は三陰交、内関（血海や郄門に変えてもよい）。骨盤部では八髎穴、とりわけ上髎、次髎がポイントです（図1－39）。前者の三陰交と内関は、循環系で関係が深い津液の脾経と血液循環系を賦活する心包経です。後者の骨盤部では、総腸骨動脈から外腸骨動脈・内腸骨動脈が出ており、外腸骨動脈は大腿前面に出て大腿動脈になり、足の冷えに関与します。また、内腸骨動脈の流れが悪いと、これは骨盤内臓（前立腺や子宮等）にも分布しているため、男女の更年期障害による冷えに関係していきます。

⑤骨盤鬱血処置

骨盤鬱血という用語は元々、婦人科の範疇に入ります。骨盤内鬱血症候群として、婦人科の専門書に次のように出ています。

「血管運動神経の失調により、骨盤内鬱血が起こり、仙骨子宮靱帯などの骨盤結合組織の増生、硬化をきたす結果生じる腰痛、下腹部痛などを主症状とする症候群である。他にしばしば頭痛、肩こり、めまいなどの全身的な不定愁訴を伴うとされる。ストレスに起因し、心因性に骨盤の充血、鬱血、浮腫、疼痛をきたすものと考えられる」（久慈直太郎、『産婦人科臨床のために』）

診察では、肩井の圧痛を診ますが、この経穴は胆経です。胆経は頭を伝い、中枢に関与しており、神経的な反応が出やすくなっています。それと、陰陵泉の圧痛も診ます。津液の鬱滞、この場合、骨盤内の鬱血の反応として出ます。

この処置は女性に多く用いますが、もちろん男性に使っても差し支えありません。**処置穴は商丘、陰陵泉、間使、または郄門を使います**（図1－40）。つまり、脾実から来ています。脾経は下腹部を伝わっていますし、「脾は血を統括する」ため、骨盤鬱血の状態を脾実と診ます。

そのため、この気水穴である商丘、陰陵泉を組み合わせ

〈骨盤鬱血処置〉

処置穴：陰陵泉にしっかり深刺雀啄し、商丘、郄門（間使）を補佐的（深刺はしない）に追加する。

※骨盤鬱血の診察では、肩井や陰陵泉に強い圧痛が診られることが多い。

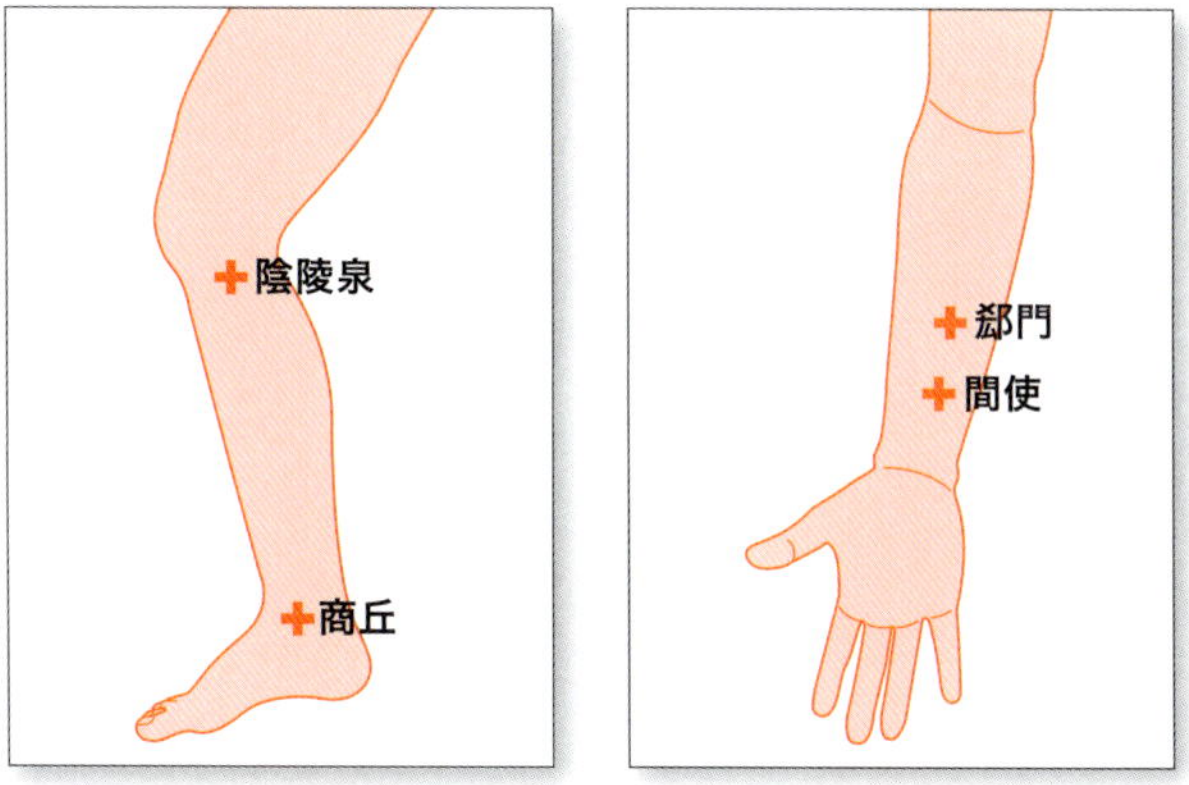

図 1-40

ます。間使は循環障害の改善、それと、骨盤鬱血は心因性のため、心包経の「気」穴を使っています（郄門でもよい）。ストレス社会の今日、この処置が該当する患者は少なくありません。

⑥椎骨脳底動脈促進処置

椎骨動脈は、前斜角筋の内側から起こり、第6頸椎より上の椎骨すべての横突孔を順次貫いて上行します。環椎の横突孔を貫いた後、内側に向かって弯曲し、その後、左右の椎骨動脈は合一して、一本の脳底動脈となり、延髄、橋、小脳、大脳後部に分布します。

この動脈が関わる疾患、脳底動脈梗塞、脳底動脈血栓症は鍼灸の不適応になり、適応するのは椎骨脳底動脈血流障害です。

〈椎骨脳底動脈促進処置1〉

陰谷（腎）、曲泉（肝）、上四瀆（三焦）の順に微弱雀啄を行う。

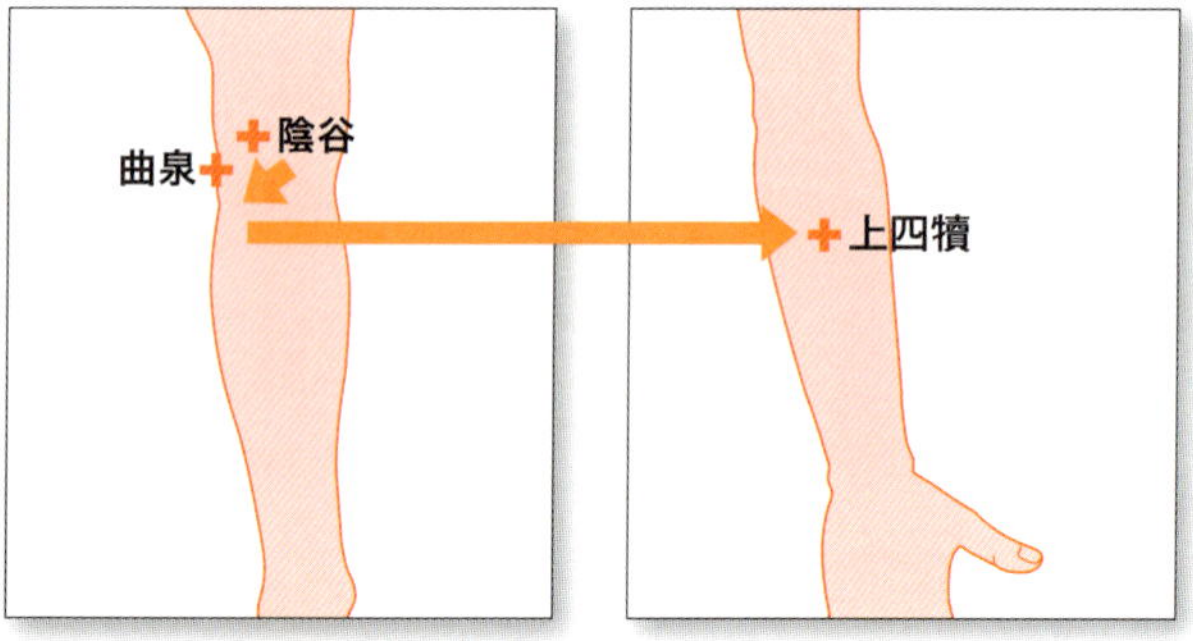

図 1-41

〈椎骨脳底動脈促進処置2〉

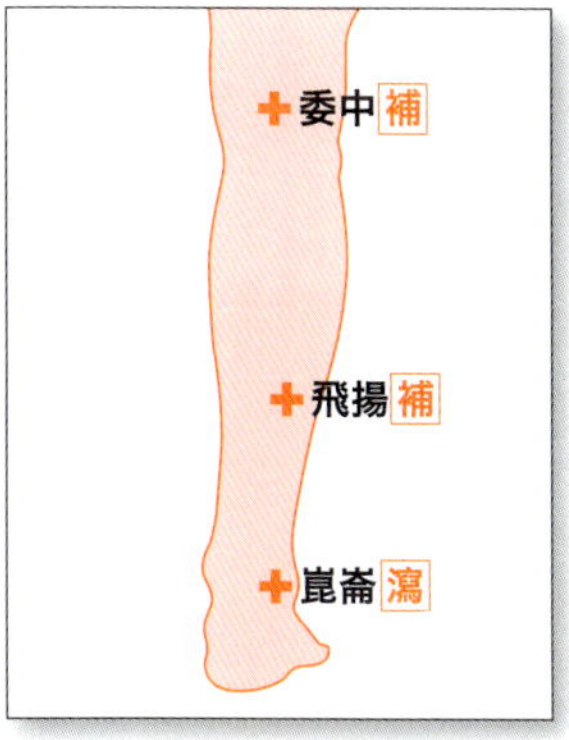

委中、飛揚に雀啄補鍼、崑崙に雀啄瀉鍼を行う。
この処置は、視床下部亢進の抑制にも有効。

この処置は、それぞれの経穴名を略して、「イヒコン」とも呼ぶ。
※イヒコンは、自律神経調整処置にも使う。

図 1-42

〈椎骨脳底動脈促進処置3〉

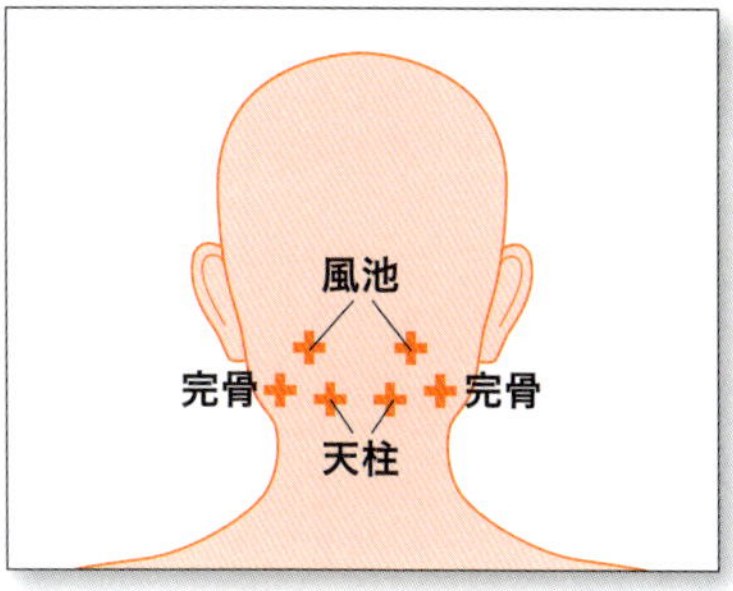

後頭部の鬱血に対して、天柱、風池、完骨などに切皮または浅刺瀉鍼を行う。

図 1-43

中高年の方に多く、症状は一過性脳虚血によるめまい、吐気、嘔吐、四肢のしびれおよび麻痺、視力障害、嚥下困難、後頭部の頭重感、言語障害、歩行障害などの比較的軽度の症状に対して有効です。

処置は次の通りです。

（1）陰谷、曲泉、上四瀆（P76参照）**に微弱雀啄を行う**（図1－41）。

（2）委中、飛揚に対して雀啄補鍼し、崑崙に雀啄瀉鍼を行う（図1－42）。

（3）天柱、風池、完骨などの後頭部の鬱血に切皮または浅刺瀉鍼（図1－43）。

⑦下垂処置

腹筋の弛緩、腹圧の低下などによる内臓下垂（痩身あるいは肥満体型にもしばしばみられる）は、内腹斜筋・外腹斜筋および腹横筋が下方に引っ張られて鼡径部から下肢にかけて血行障害を起こし、膝関節痛や腸骨鼡径神経痛などの誘因と

〈下垂の診察〉

①脈状診

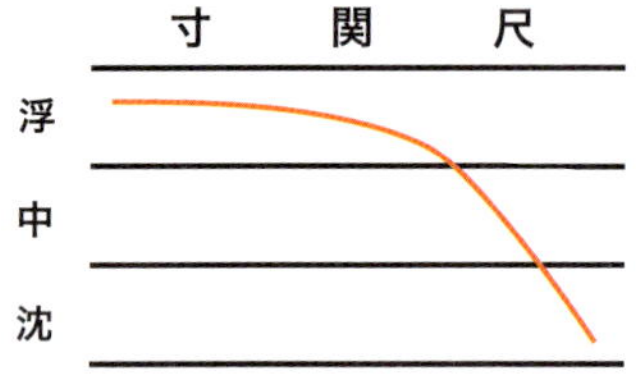

前浮後沈（尺落）

※必ずしもこの脈状を呈しているわけではない

②鼡径部と気戸の圧痛

鼡径部：下垂によって内腹斜筋・外腹斜筋および腹直筋が下方に引っ張られ、鼡径部が詰まってしまう

気　戸：下垂で鎖骨下の筋が引き下げられるため、圧痛が出る

図 1-44

なっていきます。

この処置は、弛緩した筋肉・靭帯群を締め、腹筋の緊張を図ります。つまり、下腹部の腹圧を上げ、腹腔内臓の血流を改善することにより、関節痛や神経痛を消失しうることになります。

下垂を起こしている人の脈状は、前浮後沈（尺落）といわれていますが、必ずしもこの脈を呈しているわけではありません（図1－44）。ときには沈、遅や緊数のこともあります。処置の目安は、鼡径部（患者を仰臥位にして膝を立てさせ、術者が四指で2～3kgの圧迫を加え

〈下垂処置：数脈〉

伏兎、風市、内陰、衝門、気戸、郄門に長めの雀啄あるいは15～20分留鍼を行う。

身体の下から上へと施術する。

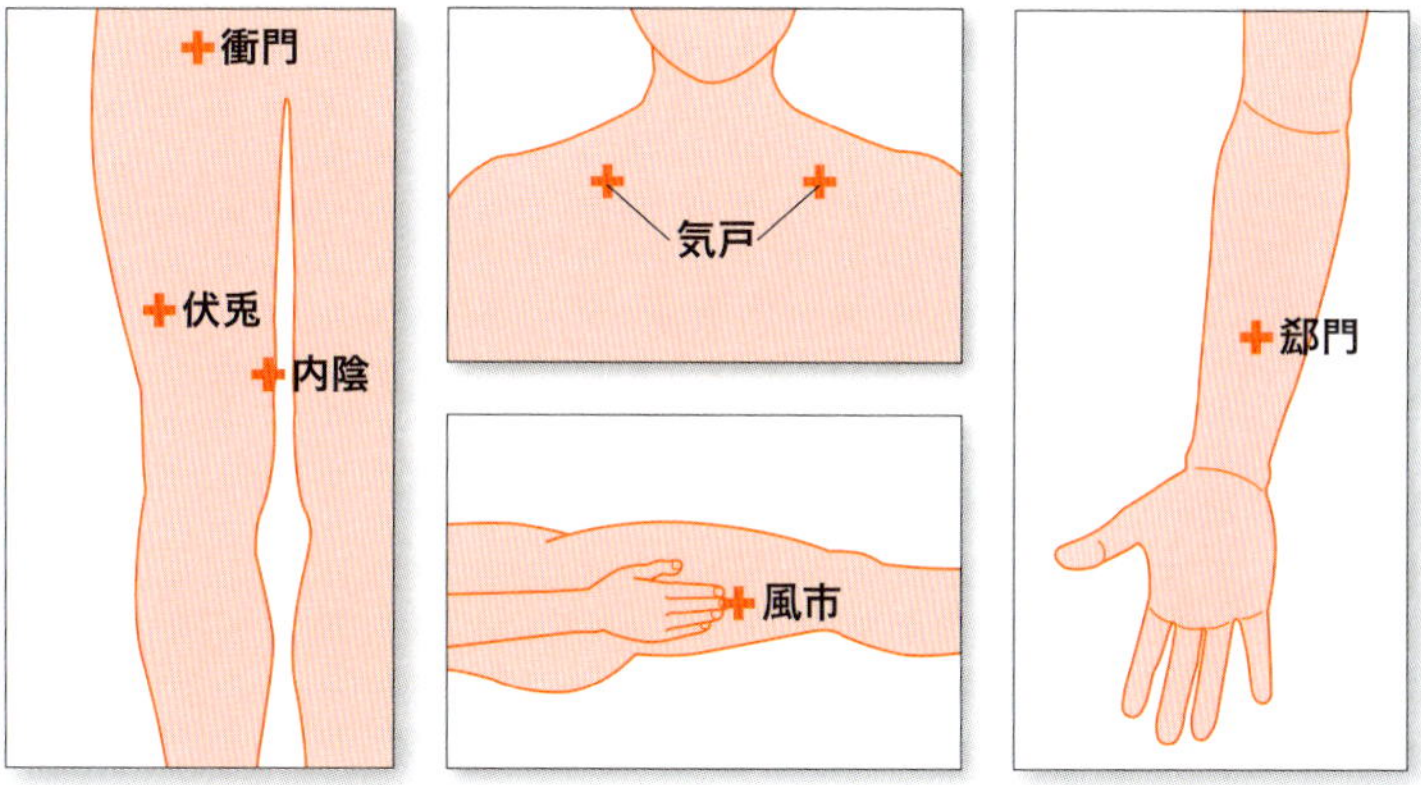

図 1-45

る）や気戸の圧痛を診ます。それと、ご婦人で下腹部の手術をした人や、高齢者の下腹部軟弱な人は下垂が出やすい傾向があります。

　脈状によって配穴を使い分けます。処置は次のとおりです。

　数脈（1分間80以上）の場合は、伏兎、風市、内陰、衝門、気戸、郄門に長めの雀啄あるいは15～20分留鍼を行います（図1－45）。なお、内陰は奇穴で、陰谷より腎経に沿って4～5指上方に取ります。なお、内陰の部位は平田十二反応帯の小腸区に属します。平田十二反応帯は、平田内蔵吉が提唱した内臓に変化があると起こる知覚過敏帯の体表区分です。先代は平田十二反応帯を治療に応用していました。

　遅脈の場合は、京門、生辺、大腸兪に雀啄刺鍼を行います（図1－46）。これを行うときは、

〈下垂処置：遅脈〉

▶患者を側臥位（患側を上にする）にして、京門、生辺、大腸兪の順に雀啄刺鍼する。

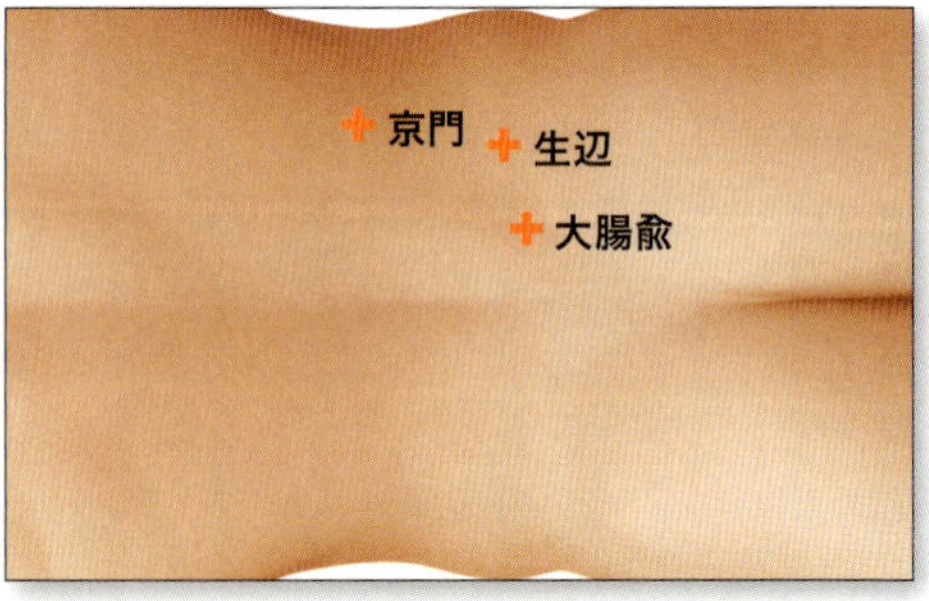

図 1-46

患者を側臥位にします。患側を上にして、この3穴を使います。京門は腎の募穴で、下垂は腎虚とも関係が深いのです（下腹部軟弱）。生辺、大腸兪は内腹斜筋・外腹斜筋の血流を促し、腹圧を上げることになります。生辺は奇穴で、肩甲骨内縁より垂線を下ろし、腸骨稜との交点に取ります。

神経・内分泌系処置

私たちが生きている現代は、「ストレス社会」といってよいくらい、諸々のストレスに満ち溢れています。カナダの医学者ハンス・セリエは、ストレスを起こすストレッサーを次の4つに分けています（ストレス学説）。

（1）物理的ストレッサー……高温、騒音など
（2）化学的ストレッサー……大気汚染、酸素不足、栄養障害など
（3）生物的ストレッサー……病原菌など
（4）精神的ストレッサー……対人関係、精神的苦痛など

この中で、特に精神的ストレッサーは再現ができません。他の3つは再現させることができるので、対策を立てて未然に防ぐことは可能です。精神的ストレッサーは、再現して除去するということはまず不可能でしょう。そのため、種々の治療法、考え方が生まれてくるわけです。

神経・内分泌処置は、長野式治療の中でも、西洋医学的根拠を多く取り入れています。東洋医学の発想、考え方、手技と西洋医学の理論、知見を融合させた長野式治療は、神経・内分泌系が原因のさまざまな症状、機能的な疾患に対処できます。

処置法の解説に入る前に、歴史を遡って、古代中国人は脳（神経）をどのように考えていたのかを少し取り上げてみます。

古代中国人の考えは、「人の生を始むるやまず精を成し、精成りて脳髄を生ず」（『霊枢』、経脈篇）に表れていると思います。これは驚くべきことに、現代の発生学と符合するところがあります。

脳は外胚葉からできており、この脳になる部分は神経板といい、脳と脊髄の元になる神経管になります。この先端部が太くなって「膨らみ」、脳ができます。

残りは脊髄となり、中央の管の部分はそのまま残って、脳脊髄液で満たされた脳室と脊髄の中心腔となります。中国人の考えた「精が集まって脳を形成する」というのは、この「膨らみ」を指すのかもしれません。

「膨らみ」の初めは、生命活動の維持やエネルギーの元である脳幹・間脳の部分です。しかし、また別の面では、古代中国人の考えは西洋医学とは異なり、脳をつくっている髄は「腎」から発したとされています。この「腎」とのつながりは独特のものであり、密接な関係を指しています。

この「腎」とは精を蔵するところであり、また水分や体液の調節をしているところでもあり、つまり、身体の成長、調整などの働きがあり、今日でいう泌尿器や内分泌とも関係があるといえます。だから腎は、副腎をも包含していると考えられるのです。

①副腎処置

内分泌系処置の核になるのが、この副腎処置です。内分泌と自律神経の中枢は、ともに「膨らみ」の最初の、脳の間脳にある視床下部です。

そのため、後で述べる自律神経調整処置と兄弟の関係にあります。副腎処置は応用範囲が広いのが特徴で

〈副腎処置〉

▶照海、兪府は留鍼（15〜20分）、もしくは長めの雀啄を行う。

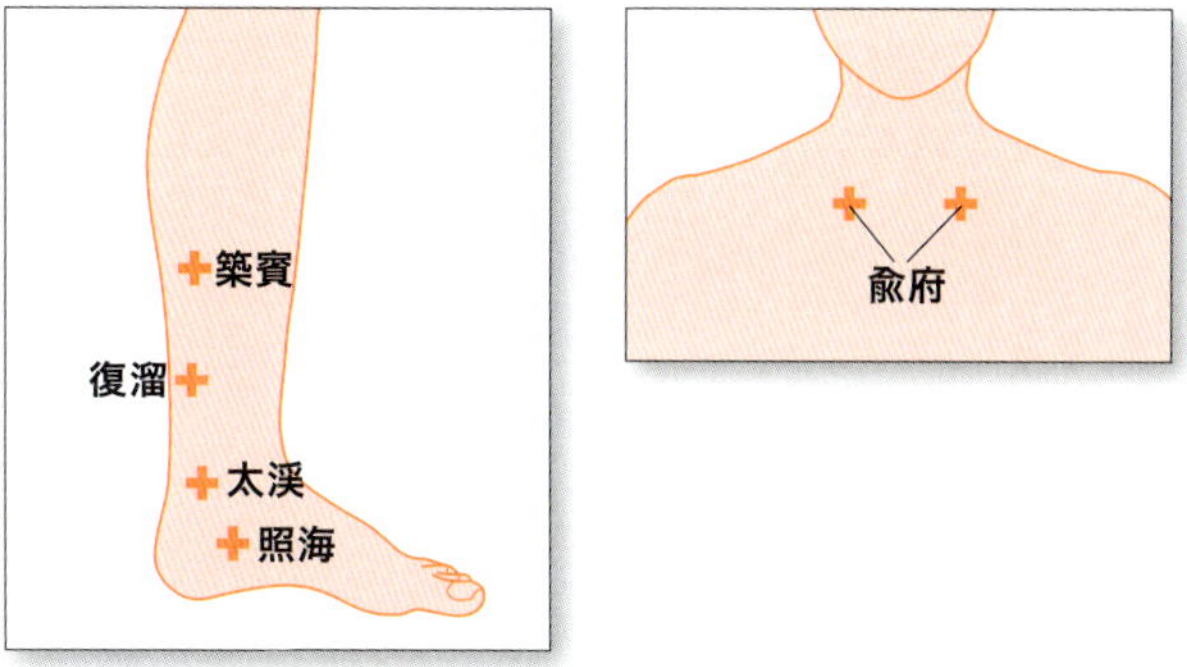

※照海の代わりに、太渓や復溜、築賓を用いてもよい。

図 1-47

す。自律神経失調症、全身倦怠、更年期障害（男性も含む）、うつ病、免疫低下等、あらゆる方面に及び、基礎となる処置です。

配穴は、照海、兪府は留鍼（15～20分）、**あるいは長めの雀啄が基本ですが、症状や体格に合わせて、照海の代わりに太渓や復溜、築賓を取ってもよいです**（図1－47）。これに尺沢あるいは天牖、手三里の扁桃処置を加えると、さらに効果が強化されます。

具体的にみていくと、副腎皮質の機能低下（脈は沈遅）および副腎髄質の機能低下、それと副腎髄質の亢進（交感神経緊張を意味し、腎経の火穴、然谷の圧痛が強い）、これらが考えられる場合は、ともに副腎処置の基本的な配穴でよいしょう。つまり、この処置は副腎の機能調整になるのです。

②自律神経調整処置

内分泌系と兄弟関係にあるのが、自律神経系です。実際、臨床でよくみられるのが交感神経過緊張の

〈手足の指間穴〉

指趾間の水かきの根元に外側から内側の順に雀啄

▶うつ病の患者にも有効。

▶手も効果あるが、足の方がよく使う。

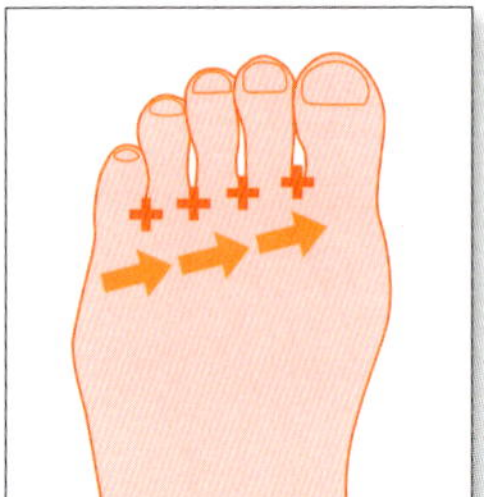

図 1-48

状態です。このときの脈状は、緊数や弦数です。

そして、体表で反応が出やすいのが、先ほど挙げた然谷の圧痛です。然谷は腎経に属し、火穴になります（火穴はその経絡の虚実の反応が出やすい）。腎経は先述したように、副腎をも包含し、この然谷の圧痛は副腎髄質の反応を意味していま す。というのは、副腎髄質は内分泌臓器でありながら、ここに交感神経性のニューロンが存在するからです。

さらにいえば、交感神経の刺激を受けると、髄質の細胞は血液中にアドレナリンやノルアドレナリンを分泌し、神経系では神経伝達物質として作用します。したがって、然谷の圧痛は交感神経の緊張といえるのです。他にも、腹診のとき、腹部のどこを押さえても圧痛があったり、脊柱起立筋や広背筋の緊張、張りが強く出ていることがあります。

〈足底裏横紋〉

足趾裏の横紋中央

▶10本すべて使う。
▶血圧異常がある場合や、頚から上の症状によく使う。

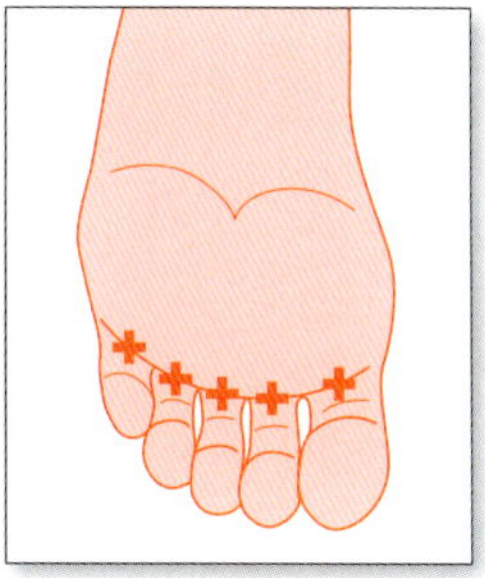

図 1-49

処方穴は次のとおりです。

（1）照海（あるいは復溜、太渓、築賓）、兪府、（天牖、手三里あるいは尺沢）

（2）手足の指間穴（図1－48）、**足底裏横紋**（図1－49）

（3）腰兪（図1－50）

（4）外ネーブル4点処置（図1－51）

（5）委中、飛揚、崑崙（イヒコン）

これらすべてを使うわけではありません。必要に応じて取捨選択していきます。

（1）は副腎処置の項目で述べたように、中枢の視床下部に作用して、全身のバランスを自動調整してくれます。

（2）の足底裏横紋は、特に頚から上の症状に効きます。

〈腰兪〉

脊髄の末端の馬尾神経が脊柱管を出る箇所にある。正中仙骨稜下端、仙骨裂孔の陥凹部に取る。刺鍼は上向き45度で深さ15〜20mm。1寸6番鍼を使用。

▶交感神経緊張抑制に必須。

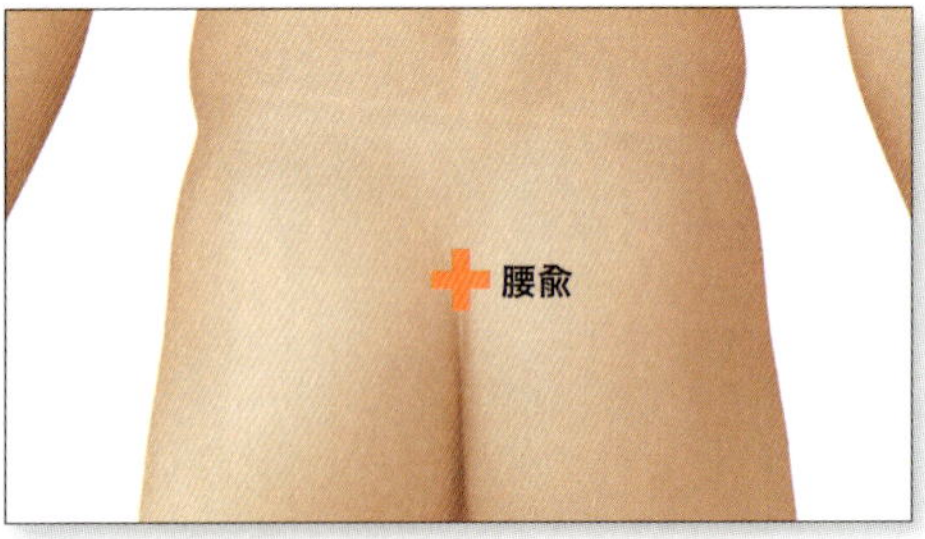

図 1-50

（3）の腰兪は、副交感神経系に相当します。

（4）はアレルギー処置の内ネーブルほど、臍の傍らではなく、外方に取り、比較的位置に幅があります。副交感神経を高めるのが目的です。腹部症状、例えば腹部のもたれ、違和感、軟便、下痢などの治療には必要です。

（5）は椎骨脳底動脈促進処置（血管系処置になる）として使いますが、一方では交感神経抑制にも効果があります。

次に、逆に**交感神経機能を賦活させる処置**についてです。まず、大事なことは脈状で、沈遅などを呈していることが多くあります。

〈外ネーブル4点処置〉

外ネーブル4点
臍の上下左右に1〜2寸外方に取る。

中脘（胃）、天枢（大腸）、関元（小腸）辺り

▶消化器系関連の症状があって、自律神経調整が必要な場合によく使う。

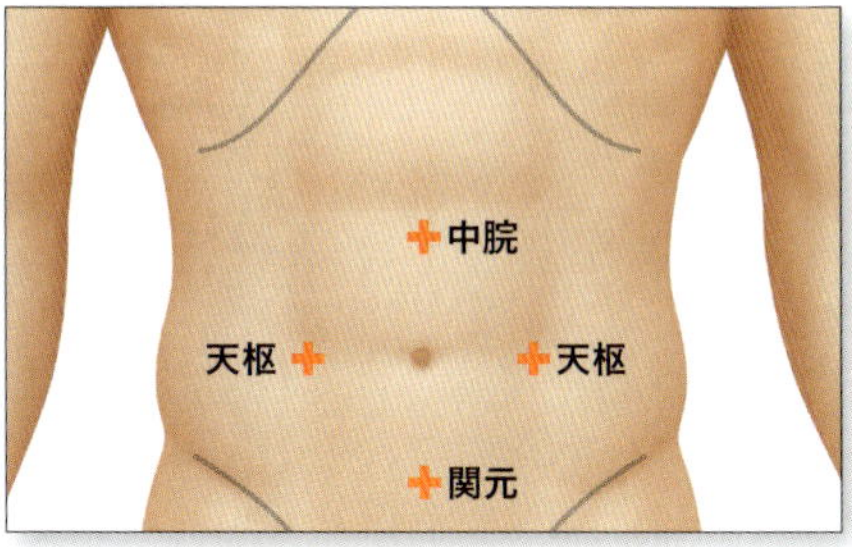

図 1-51

経絡的にいえば、腎虚です。慢性疲労や高齢者などにしばしばみられます。処置は背部を中心に施していきます。沈遅は「陰」を意味し、これとバランスを取る意味で「陽」である背部を治療の場とするわけです。この場合、**C7〜L5に相当する経絡の督脈、膀胱経の経穴を使っていきます**。

ここで混同しやすいのが、血管運動神経活性化処置、つまり横V字椎間刺鍼です。これは、交感神経幹あるいは脊髄後根の方に向けて刺鍼することによって、血管の収縮・拡張を促進し、血液量を増加させ、臓器・器官・組織などを活性化させます。つまり、自律神経を介しますが血管系にも作用します（実際は両方にまたがるといえる）。

交感神経機能を賦活させる処置は、経絡的な視点で病態と対照的に「陽」である背部の経穴を使っていくのです。その中心になるのが督脈であり、膀胱経になってきます。結果として、交感神経に影響を与えるということなのです。

③血管運動神経活性化処置（横V字椎間刺鍼）

血管壁中膜の平滑筋は、ここに分布している自律神経の影響を受け、血管内径を拡張・縮小させます。この血管壁の平滑筋に働く神経は、血管運動神経と呼ばれ、血管壁を収縮させる血管収縮神経と拡張させる血管拡張神経があります。前者は交感神経で、後者は副交感神経等です。

〈横V字椎間刺鍼〉

▶臓器・器官に関連の深い椎間に刺鍼し、血管運動神経に働きかけ、目標となる臓器・器官の血液循環を改善する

刺鍼角度

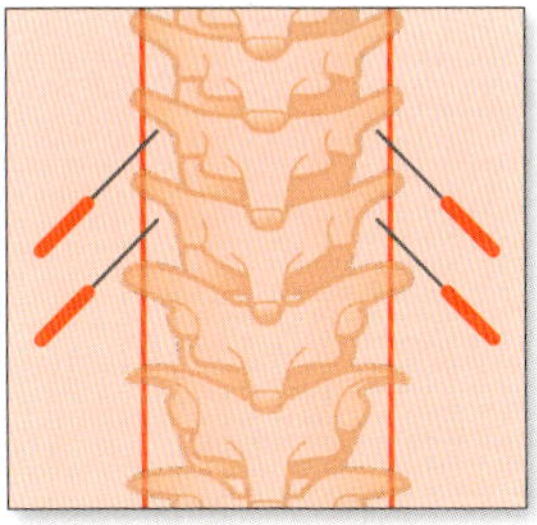

横突起に対して（上方に向けて）、45度くらいの角度で10〜20mm刺入。上から見るとV字に見える。

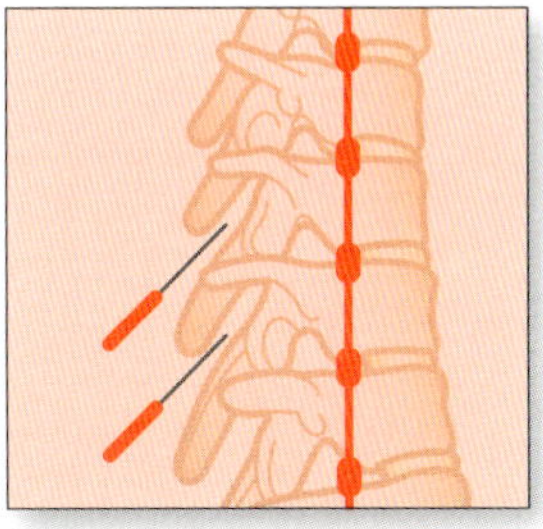

横から見た図。上方に向けて刺入する。

刺鍼位置

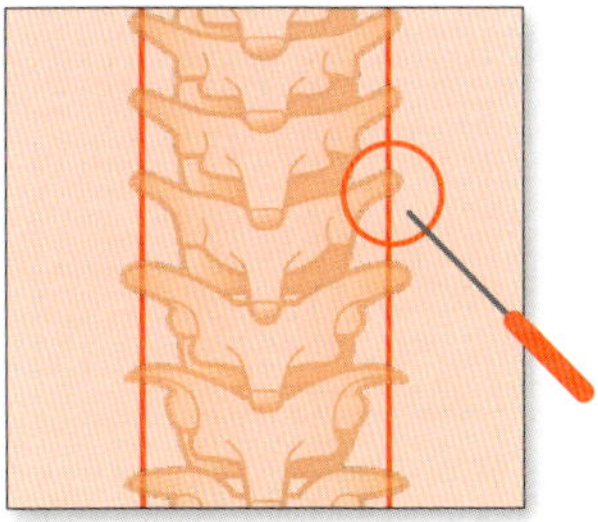

横突起の傍らに刺鍼して、交感神経幹を目標とする。

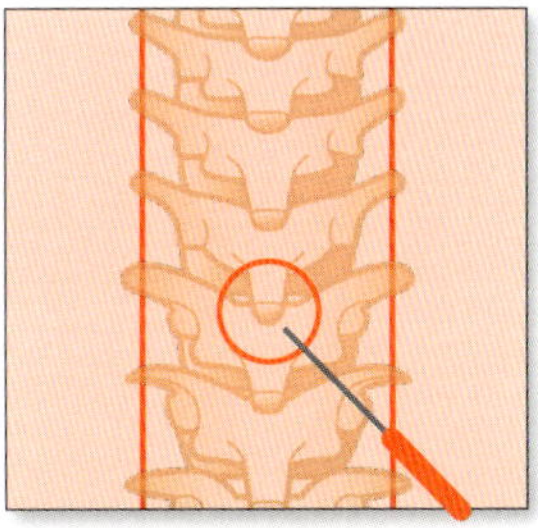

棘突起の傍らに刺鍼して、脊髄後根神経節を目標とする。

※ただし、横突起と棘突起の使い分けは明確に分かれているわけではない

図 1-52

血管運動神経活性化処置（横V字椎間刺鍼）は、血管運動神経の中枢である脳と脊髄を介して、全身的に血液循環を促進し、血液量を増大させることによって、運動器系や内臓器官の循環および代謝を活性化させようるのです（図1－52）。

この処置は2つの意味があります。1つは延髄網様体の血管運動中枢に働きかけること、もう1つは脊髄中枢に働きかけることです。

脊髄中枢とは、主に交感神経幹をいいます。刺鍼の位置については先代と議論をしたことがあります。『鍼灸臨床　わが三十年の軌跡』では、刺鍼部位が棘突起の傍らになっていますが、交感神経幹を目標にするのであれば、横突起の傍らがより重要な意味があるのではないですか、と先代に説明したところ、同調してくれました。

刺鍼部位は、脊椎間の狭小部位や棘骨などを目安にします。各脊椎は、さまざまな臓器器官、骨格筋、血

〈各脊椎と対応する臓器・器官・組織〉

- **C6・C7**：咽頭扁桃・口蓋扁桃
- **T1・T2**：脳内の血流改善、顔面、頚部
- **T3**：胸腺、自律神経の調整
- **T4**：心臓の血流改善、目の障害
- **T5・T6**：胃
- **T7・T8**：瘀血・腸
- **T9**：肝
- **T10**：胆
- **T11**：膵臓、血糖の調整
- **T12**：胃
- **L1**：上肢、⾻径神経、副腎髄質
- **L2**：腎、副腎皮質
- **L3・L4**：腸、下肢

図 1-53

管等に対応していますが、患者の自覚症レベルと一致することが多いのです。例えば頭がふらつく、重いという場合は第1頸椎・第2頸椎間および第2頸椎・第3頸椎間の狭小がみられることが多いので、その部位に刺鍼雀啄をしていきます。

『鍼灸臨床 わが三十年の軌跡』では、棘突起の下方、45度内向きに刺鍼する図が出ていますが、先述したように、横突起の下方45度内向きでもよいです。前者は脊髄後根神経節を目標に、後者は脊椎前面にある交感神経幹を狙い撃つようしていきます。深さは10～20㎜。各脊椎と対応する臓器等の一覧は表のとおりです（図1－53）。

筋肉系処置

筋肉系処置が適応する疾患の多くは運動器疾患ですが、それだけではなく、関節リウマチや各種神経痛等にも十分対応できます。

主な有効症状は、第1に筋肉の攣縮やこわばり、弛緩、第2に結合組織の変性と機能減退、第3に血管運動神経系の異常が挙げられます。また、血糖値の異常も改善することができます（4章の糖尿病処置、p202も参照）。

ここでは、筋肉系処置の中でも、①筋緊張緩和処置、②結合組織活性化処置、③帯脈処置について紹介します。

①筋緊張緩和処置

「この処置法は生体の錐体路系を介して、経絡の少陽経すなわち足の少陽胆経、及び手の少陽三焦経の特定点に鍼灸の刺激を加え、脳レベルから脊髄レベルへと反対側（筋緊張側）の筋緊張を緩和せしむる処置法である」（長野潔、『鍼灸臨床わが三十年の軌跡』）

錐体路というのは、下行性神経路のことで、筋肉を支配している運動ニューロンをいいます。鍼灸の刺激が知覚伝導路によって、脊髄から大脳の知覚野に伝わっていきます。この時点では、錐体路ではありません。知覚野で受け取った刺激は、今度は大脳の運動野から発して脊髄の錐体

〈筋緊張緩和処置〉

▶少陽経の特徴を用いて、筋緊張を緩める処置法。筋緊張と対側（健側）の丘墟、上四櫝を用いる。上四瀆は、通常の四瀆よりも肘関節寄り（2横指、上方） に位置している。およそ、前腕を3等分して、肘関節から3分の1の箇所の三焦経上に取る。

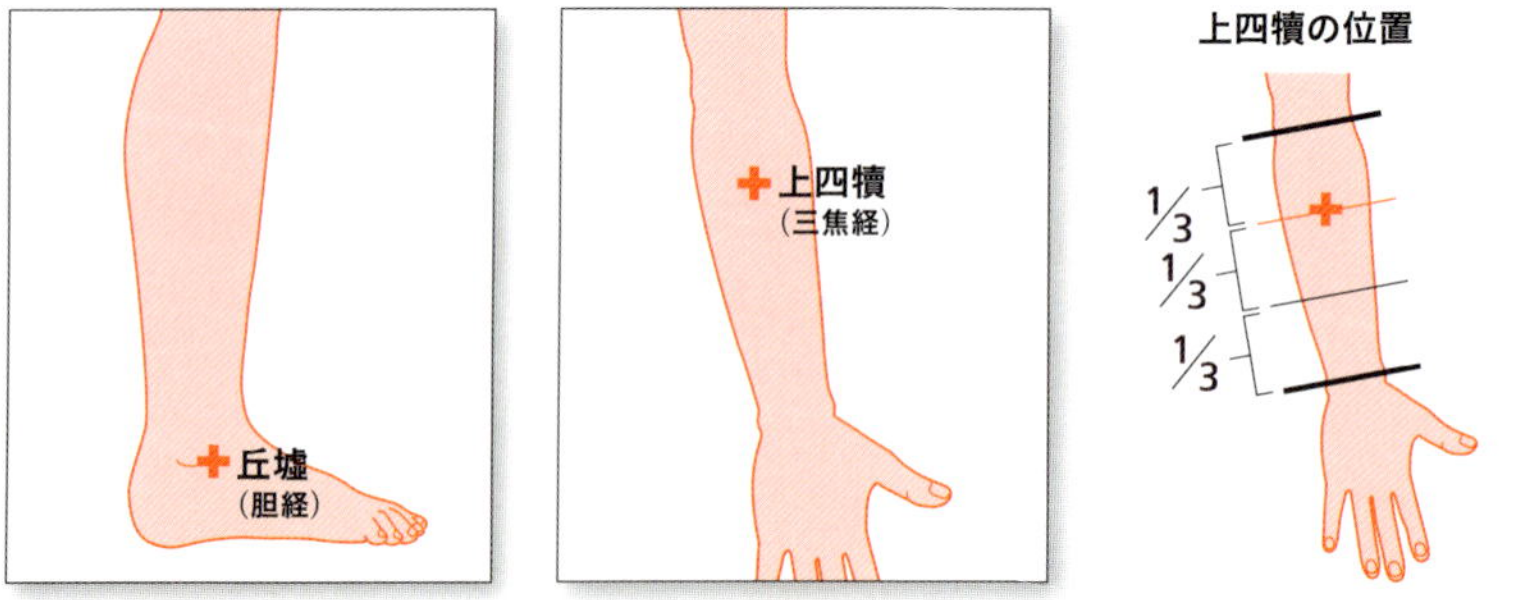

※丘墟・上四櫝でも緩まないときは、陽陵泉（両側）を使用する。陽陵泉は八会穴の筋会であり、筋肉や関節の熱を取る特効穴。

図 1-54

という所で交差して反対側に至ります。この過程が錐体路になり、これを活用していくわけです。

この筋緊張を確認するのが、胸鎖乳突筋です。これは主として姿勢維持など長時間の収縮に適している筋肉（赤筋）で、別名、緊張筋ともいわれ、簡便に調べられるため、目安にします。確認は胸鎖乳突筋を圧迫あるいは擦診、つまり指で挟んで緊張や硬化を診ます。

この処置は錐体路という中枢を活用するため、経絡で最も中枢に関与して、まとっているものを使います。それが少陽経です（図1－54）。

足の少陽胆経に至っては、頚から上の経穴は20もあり、この経の半分近くの経穴を占めています。同様に、手の少陽三焦経も頚から上は全経穴中の3分の1を占めます。

この少陽経を活用することによって、筋緊張からくる神経障害や血流不良を改善していくのです。特に耳鳴り、頭痛、頚肩腕痛、寝違い、顎関節症、むち打ち症などに有効です。

使う穴は延髄の錐体で交差しているため、**筋緊張と対側（健側）の丘墟、上四瀆です**。上四瀆は四瀆よりも2横指位上に取ります。ここに圧痛、硬結が顕著に出ていることが多いのです。これに陽陵泉を加えてもよいでしょう。

②結合組織活性化処置

「各関節における硬化した緻密結合組織線維に特に重点を置いて、その硬化を柔げ結合組織の持つ機能、すなわち栄養の貯蔵、運搬、細菌や毒素に対する防御及び修復機能を活性化することにある」（長野潔、『鍼灸臨床わが三十年の軌跡』）

つまり、結合組織である腱（筋肉の起始部および停止部が該当）や靭帯の硬化・緊張を緩和させることによって、この結合組織の活性化を図るものです（図1－55）。

しかし、もう1つ別の意味があります。腱紡錘の働きです。これは筋と腱との接合部に存在し、筋の伸縮によって、腱紡錘は伸展され興奮します。この信号が脊髄に伝わり、運動神経を介して、筋肉・腱の働きが微調整されます。少し専門的になりますが、腱紡錘は「感覚神経線維によって脊髄と繋がっており、筋力を発揮した張力の強さを検知する。この線維は能動的に力を発揮して生じた筋力が変化したとき、その変化があまり急激にならないように筋の張力をある程度一定に保つ機能を持っている」（小林寛道、『運動神経の科学』）。

つまり、筋肉・腱の働きの過剰状態から平衡に保ち、

〈結合組織活性化処置〉

●アプローチ法

①筋の起始部や停止部など、ターゲットになる結合組織がどの辺りにあるのかを把握する。

②局所の緊張を取るために数カ所、多層にわたりていねいに雀啄する。

顕著な効果には、脊柱起立筋緊張緩和処置、坐骨処置などがある。

図 1-55

微調整の役割を果たすということです。故に、この処置は広範囲にわたっており、かなり効果のはっきりしている局所治療と呼べるものです。

すべての結合組織を取り上げ、遂一この処置を述べると膨大になりますので、その詳細は『鍼灸臨床 わが三十年の軌跡』を参照してください。

ここでは、効果の顕著な脊柱起立筋緊張緩和処置と坐骨処置を取り上げます。

脊柱起立筋緊張緩和処置というのがあります。この脊柱起立筋は、仙骨から頭蓋骨に至る別々の数個の筋束からなる細長い塊で、棘突起の外側にある縦走筋群です（仙骨、腸骨稜、下部胸椎・腰椎から起こり、外側は腸肋筋、中間

〈脊柱起立筋緊張緩和処置〉

屈伸、会陽に、斜め上方（頭の方）に向けて硬化を和らげるように雀啄を行う。

屈伸：奇穴。L5下の「上仙」外側に4〜5横指の硬い部位。
会陽：尾骨先端から外方に0.5寸の部位。

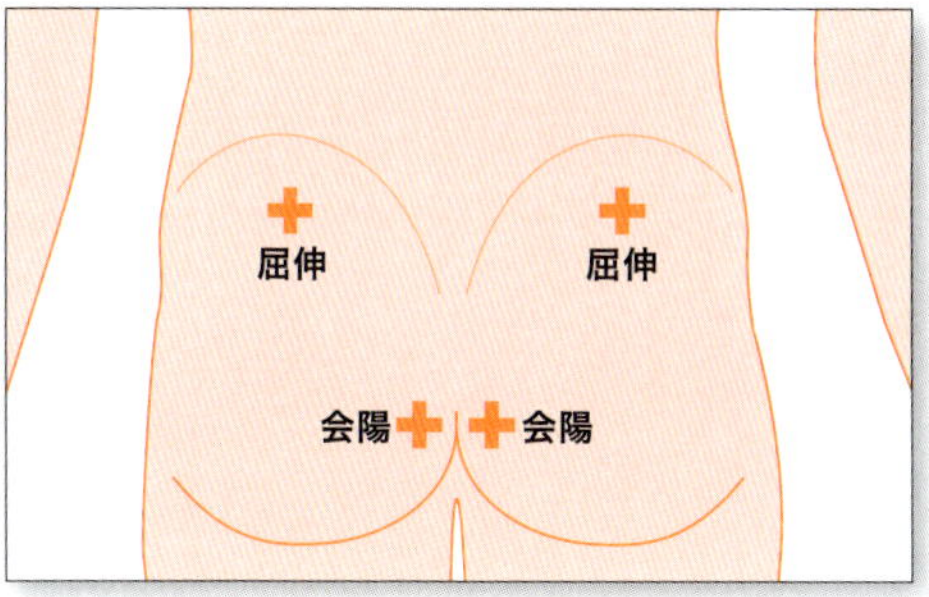

図 1-56

は最長筋、内側は棘筋に分けられる）。

脊柱起立筋の中でも、特に臨床的に重要なのは、腰部にある腰腸肋筋です。腰腸肋筋の起始部は仙骨・腰仙関節・仙腸関節、腸骨稜に当たります。座り仕事を長くしている人、腹部の手術をして腹筋が緩んでいる人、神経質タイプで腰痛を訴えている人は、この腰腸肋筋の緊張、硬化が強いようです。

処置は、この起始部エリアの硬化を和らげていきます。いくつものポイントがあります。それは**屈伸、会陽です**（図1－56）。

屈伸は奇穴で、上仙より3〜4横指外側に取ります。すると、必ず圧痛が出ています。会陽は尾骨先端の両側0・5寸で、腰腸肋筋起始部の先端に当たります。会陽は、寸6〜2寸の4番鍼を使い、斜め上方（頭の方）に向け、屈伸は直刺で硬化を和らげるように十分に雀啄をしていきます。

硬化の緩みを確認しながら雀啄していくことが大切です。この起始部の硬化を和らげるということは、腱紡錘の働きを活性化させることにもなります。

治療の効果の判断は、よくなっている目安を確認することではないかと思います。つまり、硬化の寛解、運動機能の回復、疼痛の軽減、冷えの解消などです。それから脈が広がり、浮いて、緩やかになることです。腹部の圧痛や硬結、緊張、張りの消退、火穴反応の消失、胸鎖乳突筋緊張の緩和、そして脊柱起立筋緊張の緩みなど、自覚的にも他覚的にもこれらの目

〈坐骨処置〉

▶4つのエリア（①仙骨外縁、②腸骨稜の上縁・下縁、③大転子、④坐骨結節部）における筋の起始部あるいは停止部に雀啄を施す。

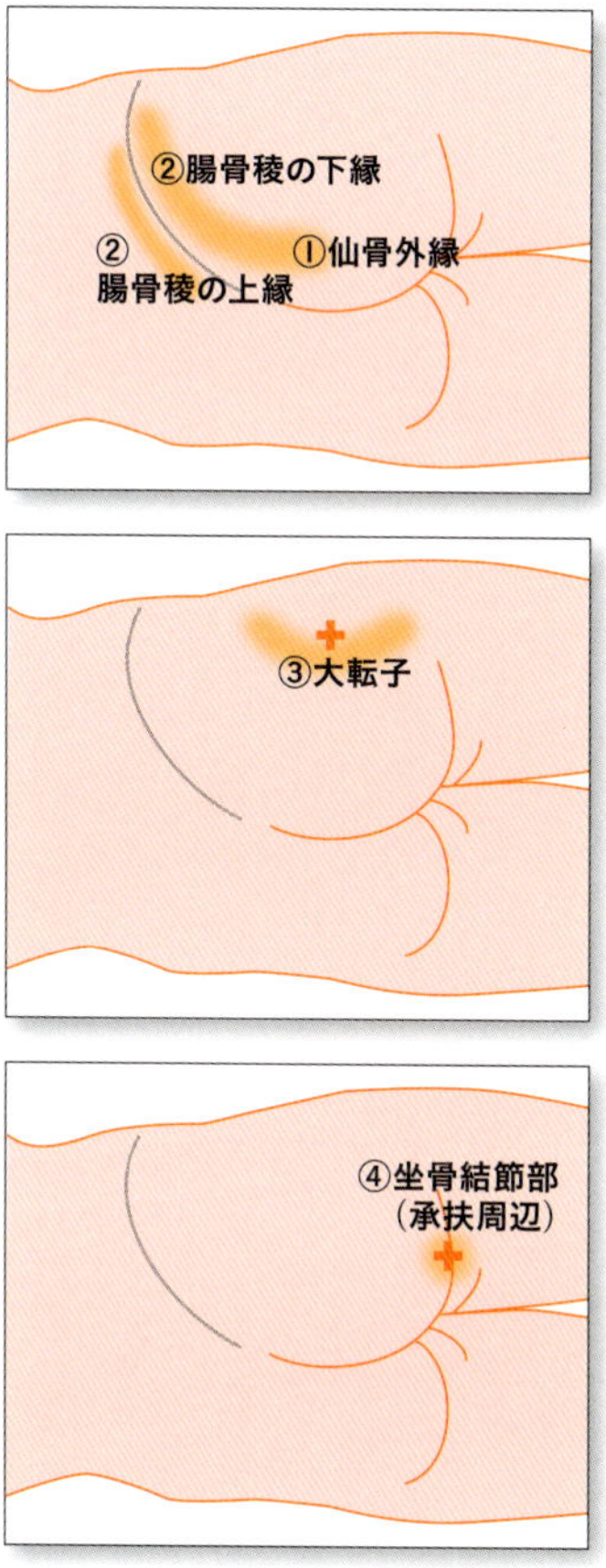

図 1-57

安を確認していくことが大切なのです。この脊柱起立筋緊張緩和処置は、結果がすぐ目前で見られるという、実に即効性のある処置なのです。

もう1つ、即効性のある坐骨処置を紹介します。まず、患者を患側が上になるように側臥位にします。狙い所は次の4カ所です（図1–57）。

（1）仙骨外縁…大殿筋、腰腸肋筋の起始部

（2）腸骨稜の上縁・下縁…脊柱起立筋、広背筋、腰方形筋、中殿筋・小殿筋の起始部

（3）大腿骨大転子…殿部諸筋の付着部

（4）坐骨結節部（承扶あたり）…大腿二頭筋の起始部

この4つのエリアにおける筋肉の起始部および停止部に雀啄を施していきます。硬化や緊張があれば、それをほぐすようにやっていくということです。

③帯脈処置

数多くある長野式処置の中で、最も即効を発揮するのがこの帯脈処置です。腰背痛を始め、坐骨神経痛、頚肩腕痛、寝違え、五十肩、各種神経痛、頭痛、顎関節症、関節リウマチ、むち打ち症など、枚挙にいとまがないくらい、応用範囲が広くなっています。なぜ、これだけの効果があるのでしょうか。わかりやすく解説していきます。

〈帯脈処置〉

帯脈の位置

▶章門と腸骨稜の間に位置する。外腹斜筋と内腹斜筋の腹横部でクロスした部分。

帯脈への刺鍼

①皮下脂肪の奥まで刺入するため、鍼は寸6の4番を使う。
②硬い抵抗感のある部位に刺入雀啄する。

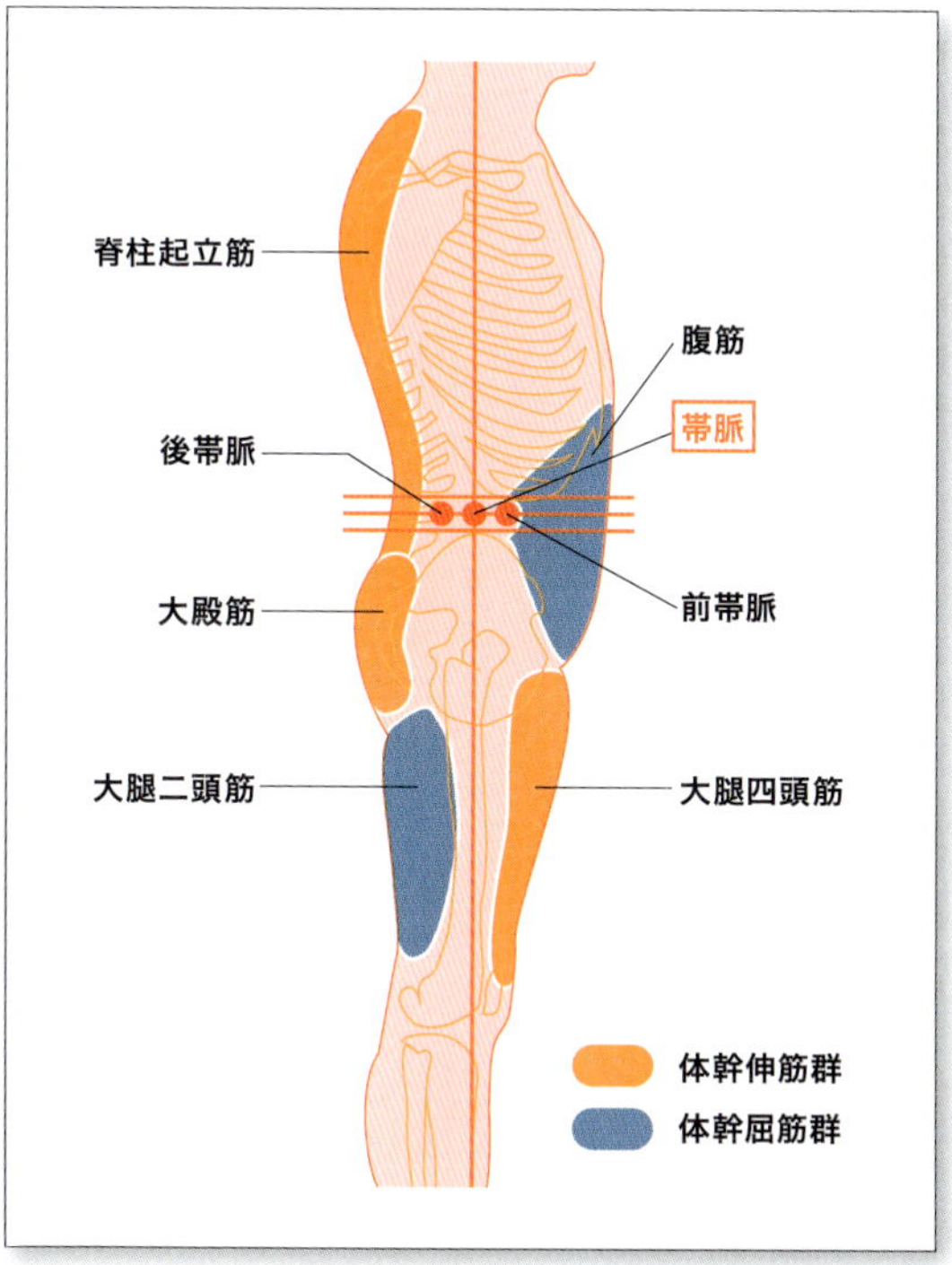

図 1-58

（1）体幹伸筋と体幹屈筋の切換点（調整ポイント）

人間の身体は、屈したり、伸ばしたり、捻ったりと、さまざまな動きができます。それを可能にしているのが、筋、腱、靭帯です。その身体の中心軸は、体幹です。体幹には脊柱起立筋、大殿筋、大腿四頭筋などの体幹伸筋群と、腹筋、大腿二頭筋などの体幹屈筋群が拮抗的に存在します。図を見てもわかるように、これらの筋群の中心に帯脈が位置しています（図1－58）。正確には、内腹斜筋・外腹斜筋、腹横筋の起始部中央に当たります。

施術ポイントとして、腹筋の緩んでいる人や、肥満体型、婦人科の手術をした人などは、腹筋の後面や脊柱起立筋が緊張もしくは硬化している場合が多いので、通常の帯脈よりも2～3寸後方に取ります。これを私たちは、後帯脈といっていますが、この部の緊張や硬化を取ると、先ほど挙げた数々の症状が軽減されてくるのがわかります。

（2）解剖上の意義

この帯脈には、内腹斜筋・外腹斜筋、腹横筋、広背筋が関わっています。血管では鎖骨下動脈や外腸骨動脈とつながっている下腹壁動脈、そして胸大動脈、腹大動脈から起こり内腹斜筋、腹横筋の間を通って腹壁に分布している肋下動脈が近くにあります。神経では、肋間神経や腸骨鼡径神経が分布しています。

つまり、解剖的には頚部から胸部・腹部・背部・腰部・下肢と、広範囲に関わっていることになります。

（3）古典的意味（鍼灸文献的意味）

帯脈には足の少陽胆経、そして奇経としての2つの側面があります。帯脈処置の帯脈は、足の少陽胆経もさることながら、奇経の帯脈という意味合いが実は強いのです。古典をたずねてみましょう。

「帯脈は胸腹両側の季肋部に起こり、腰帯をしめるように腰を一周する」（『難経』第二十八難）

これが代表的な記述で、『十四経発揮』もこれに従っています。また、『奇経八脈』は次のようにいっています。

「奇経の帯脈は章門の穴より起こり、帯脈穴をめぐって身を周ること帯のめぐるが如く、諸経を管束するを以って帯脈という」（『奇経八脈考』）

ここでは「諸経を管束する」というように、より具体的な記述がなされています。実際、臨床で使ってみて、さまざまな症状、疾患に効果があるのが実感としてよくわかります。まさに、諸経絡、諸症状に対応しているのです。

気系処置

「気」というのは大きく2つに分けられています。「先天の気」と「後天の気」です。先天の気は「原気」ともいい、腎間の動気とも呼ばれ、生命活動の源泉と見られています。

後天の気は、さらに大きく3つに分けられ、宗気、衛気、営気です。「宗気」は大自然の大気をいい、「衛気」は脈の外を行き、身体の表面にあり、皮膚を潤し、外界から人体を防衛するとされています。現在の私たちの目から見ると、免疫や抵抗力などが大きく関係しているようです。「営気」は飲食物のエッセンスから変化、生成して脈管に注いで血になっていきます。

大局的にみれば、気と血とは別物のようで、実は相互に協調して一体となって働くようです。気は血を含めた流動体的なものという考えが、歴史的に気の根底にあったのであろうと思います。

一方、我が国では、藤田六朗氏が気を研究して、気の通り路である経絡の実態について、次のように述べています。

「経穴は神経・血管が体表に直角に走向する点であると同時に、これらを囲繞する結合織もまた重要な役割をなしている。即ち経穴はこれら結合織の管を通じて当該経絡に直通している場であることが知られた。経絡主体は四種の管腔（リンパ管、動脈、静脈、神経幹）の内の三本とそれの周囲の結合織からなり、この両組織の間に脈管外体液の波動があると考えられる」（藤田六朗、『鍼灸医学＝漢方医学』）

つまり、組織間の脈管外体液の波動が気の通り路であるといっており、体液と気の密接な関係を指摘しています。これが根拠となって、でき上がったのが胃の気処置なのです。

①胃の気処置

脈の流れ方や中脈(胃の気)の有無を診て、この脈が弱いときに適用する処置です(図1-59、60)。

胃経は陽経の王というくらい、非常に重要な経絡で、胃経の働きは他の経絡の機能にも大きく影響を与えます。

この経絡は後天の気の中心的な役割を果たしています。後天の気から営気、衛気を発しているわけですから、これらは脈管内外の組織細胞の呼吸の基にもなっていると考えられます。胃経より内側の下腿脛骨外縁で前脛骨筋の溝の硬化、狭小を診ていきますが、胃の気処置は先述した結合織間の体液による波動で組織液が流れていくという、藤田六朗氏のいわゆる筋主因性脈管外通路説を根拠にした、組織細胞呼吸を活性化するものです。

この処置は、長野式治療の中でも非常に重要な処置

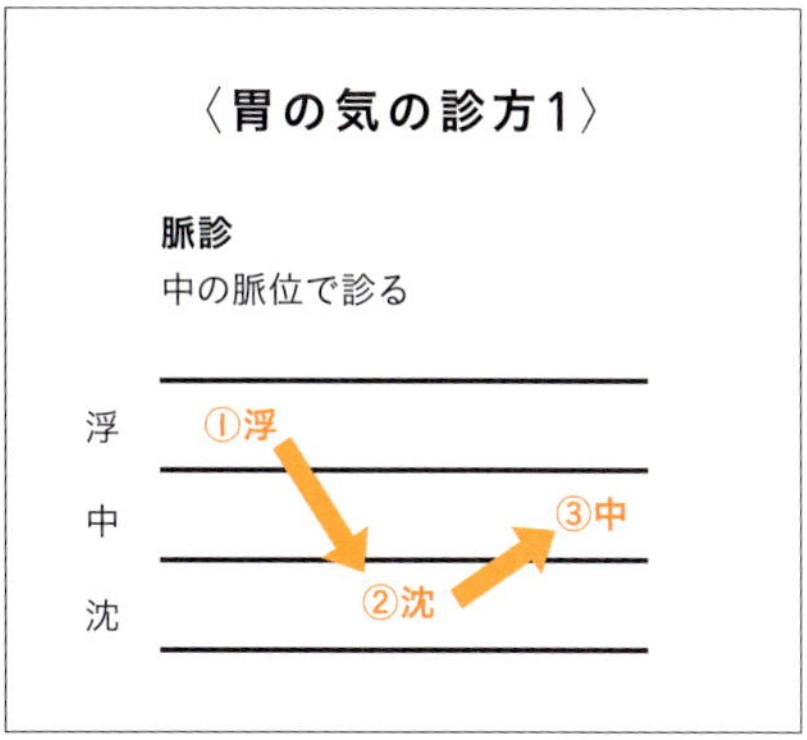

図 1-59

〈胃の気の診方2〉

脈以外の判断基準
- 食欲減退、胃腸の働きが悪いかどうか
- 下肢倦怠
- 腹部の冷え（特に上腹部）
- 脛骨外縁の詰まりと硬化
- 胃経の「火穴（解渓）」の圧痛の有無

図 1-60

になります。中脈が弱いときに、いくら他の処置、例えば扁桃処置、瘀血処置、自律神経調整処置、骨盤虚血処置、横V字椎間刺鍼等を施しても、その効果は弱いのです。

まず、胃の気の流れを少しでも活発にしておいて、次の処置に入っていきます。気血の淀みない流れが最優先されます。**取穴は、足三里、豊隆、蠡溝の高さの前脛骨筋の溝に取ります。**狭小がひどいときは、3点だけではなく、他の詰まりのひどい所を1、2点加えてもよいです。

②気水穴処置

長野式治療の中で、気の流動性を最も前面に出している処置の1つが、この気水穴処置です。十二経絡の五行穴の火穴

〈気水穴処置〉

▶火穴に圧痛や張りがある場合、気穴（金穴）と水穴でその火を抑えこんでいく。

※気穴には浅刺1〜5mm、水穴には深刺5〜15mmを行う。

図 1-61

の反応は、圧痛や張りがあれば充血、炎症性、実証等を意味すると考えられます。これを気（金）・水穴で抑え込んでいきます（図1－61）。

この気穴というのは、五行穴でいえば肺金穴になります。つまり、外呼吸を取り入れると考えられる経穴であり、これが組織細胞呼吸も活性化していくと推測されます。先代がいう気穴は「血流・水分の代謝、配分、循行せしむる」ものであるようです。水穴はさらにこれを強化していきます。

気水穴は不思議な効力があります。基本的には火穴に圧痛反応があるときに使いますが、例えば肋間神経のヘルペスや三叉神経のヘルペスは、その神経に関わっている経絡の気水穴（手、足両方）を使うことで、ヘルペスの症状が消退していきます（この場合、施灸も必要）。

他に甲状腺機能亢進症にも適応できます。気水穴処置は、五行理論の再認識と経絡の奥深さを感じさせるものです。

Nagano-Method
Acupuncture Treatment

2章

長野式治療Q&A127

２００３年から２０１４年にかけて、大阪で行われた長野式臨床研究会のマスターセミナー受講生から挙がった質問は、およそ４５０になります。その中から、厳選した質問127をここでは紹介していきます。基本的なものから、複雑なものまで、さまざまな角度からの質問を取り上げています。

内容は、脈診、診察、処置、臨床、経絡・経穴の５つに分けて、努めてわかりやすい説明を意識しています。

脈診

Q1　脈診にセンスはあるのでしょうか？

A　最初からセンスのある人はいません。先代も、初めは何もわかりませんでした。もちろん私も同じです。多くの患者の脈を診ることで、段々と違いがわかってくるものですが、目的意識を持って診ることが大事です。漠然と診ていては、なかなか見えてきません。

Q2　脈は治療で変わるのですか？

A　治療中と治療後で変わってきます。病態を反映した脈は、治療中でも変化します。そして次回の治療前にも、何らかの変化があります。脈が平脈あるいはよい方に段々向かっている人は治ってきます。大抵の人は治療で脈が変わってきますが、性格的に神経質な「緊、数」の人は変わりにくいでしょう。また、進行癌は脈の変化がほとんどなく、いくら治療しても変化しません。

Q3 「浮弦」の脈状は何だか矛盾しているように感じるのですが。

A 「浮弦」は順です。「弦」は浮・中・沈の3層にわたっていますから、何も矛盾はありません。この場合、中・沈の位置の脈の勢いよりも、浮の位置の脈の勢いのほうが強いため、浮で弦としたわけです。

Q4 「沈脈と伏脈」の違いは何ですか?

A 沈脈は浮の位置では触れませんが、中・沈の位置では触れます。伏脈は、浮・中ではまったく触れません。沈からさらに下で、初めて触れます。

Q5 「緩脈と平脈」の違いは何ですか?

A 非常に穏やかな脈であることは共通していますが、緩脈は強く押さえると消えます。一方、平脈は3層にわたって打っています。

Q6 「緩脈」は右関上で診るといいますが、他では診ないのですか?

A 基本的に右で診ます。無論、全体的な脈状にも現れますが、右関上の沈の位置が脾に当たり、緩脈は脾と関係が深いのです。例えば糖尿病の場合、緩脈が現れている人がいます。

Q7 「洪脈」のイメージはどんな感じですか?

A 指に触れる感じが「鉛筆の太さ」くらいに太く、指から溢れるように力強く感じる実脈です。逆に、細脈は「細い糸」のように細く、弱々しい脈で虚脈です。対照的に考えると覚えやすいですね。

Q8 「血虚の脈」とはどんな感じですか?

A ネギを軽く押さえている感じで、中が空っぽで勢いがほとんどなく、冷え性の脈でもありますね。

Q9 「結脈」と「促脈」を体験したことがありません。違いは何ですか?

A 違いは、速さと規則性です。結脈はそう速くなく、バラバラでもなく、結滞する脈で、心配のない不整脈の期外収縮にみられます。一方、促脈は80から90拍以上で、非常に速く、リズムは規則性がなくバラバラで、要注意の不整脈です。心房細動の疑いがあります。

Q10　男性で右が「浮脈」、左が「沈脈」の場合、どちらを考えたらよいですか?

A　男性は主に左で診ますが、左右を診て腹診や火穴診も合わせて、トータルで考えてください。

Q11　高齢者の「左寸口の細脈」は、右より意味があるのですか?

A　大いにあります。左寸口の沈は心に該当しますので、この脈が他と比べて細や弱かったら要注意です。

Q12　「仮面の脈」と「逆証の脈」の違いは何ですか?

A　仮面の脈は、脈状と症状との関係を指します。逆証の脈は、脈状と腹証との関係を意味します。例えば、仮面の脈は自律神経失調でイライラして、眠れない。そのために、安定剤や催眠剤を服用しており、脈が細遅。通常、自律神経失調でイライラは緊数が打つことが多々あります。この脈でなく細遅というのは、本来の脈に仮面をかけています。つまり、その症状に対して、嘘の脈が打っているということです。治療していくと、本来の脈になってきます。

逆証のほうはわかりやすくて、例えば脈状が沈遅で虚証。腹証がどこを押さえても圧痛がある実証。つまり、脈証と腹証が正反対ということです。

Q13 「脈が虚で腹が実」を逆証の脈といわれましたが、これと反対の「脈が実で腹が虚」の場合も同じように考えればよいのでしょうか?

A そうです。脈と腹が違う証の場合、腹証を優先します。腹診を重視する古方派が、漢方の主流だった影響ですね。しかし、身体をトータル的に診る場合、脈診は多くの情報を教えてくれます。

Q14 「逆証の脈」は「腹を優先」といわれましたが、「弱短の脈」で「腹が実」のときにも「腹優先」なのですか?

A あまりないと思いますが、このときは「弱脈」優先で三陰交、陰陵泉、労宮に20～30分留鍼します。この改善がないと、いくら他の処置を施しても効きません。逆証の脈に関しては「弱脈」は例外と考えてください(P30参照)。

Q15 治療を行って、脈の変化と腹の変化、どちらが変わったほうがよいのでしょうか?

A 脈でも腹でも、変わる人はどちらでも同じです。変わりやすい人は治りやすいと考えてもよいでしょう。

Q16　「細脈」「弱脈」の処置で、労宮、内関、郄門の使い分けはどのようにしたらよいですか？

A　労宮は弱脈で、疲労困憊、全身倦怠感が強いときに。内関は冷えなどの慢性的な循環障害があるときに。郄門は、最近冷えを覚え出したなどの急性の循環障害があるときにそれぞれ使います。

Q17　「尺中の細」は眼の症状の脈といいますが、「肝実」の反応としても出るのですか？

A　尺中の細は、注意深く診ないとわかりにくいです。火穴の行間に圧痛が出ていれば、「肝経実」として気水穴を使います。尺中の細で、肝実を呈してないときもありますし、肝実で尺中の細を呈しているときもあり、さまざまなタイプがあります。

Q18　弦脈の患者で、毎回の治療で変化はあるのですが、症状が根治しません。留鍼、施灸など、いろいろ試みているのですが、弦脈を取りきらないから根治に至らないのでしょうか？

A　弦脈は病態の脈ではありますが、一方では体質や性格からきている場合もあります。この場合は変わりにくいですね。他の反応、自覚症が少しずつでも変わってくれれば、脈に変化がなくてもよいと思います。

Q19　関節リウマチの洪脈に対して、小腸経を使うのはなぜですか。この場合、補鍼ですか？

A　洪脈というのは心実を意味します。心経と表裏関係の小腸経でこれを抑えていきます。数脈のときには腹部（陽の脈に対して、腹部は陰）の関元を、遅脈は背部（陰の脈に対して、背部は陽）の小腸俞を使います。

直接、心を瀉すより、小腸経を当たるほうが効きます。この場合、関元も小腸俞も心実を抑えるために補的に使います。

Q20　花粉症が主訴で、「細緊」がある場合、花粉症が軽減しても「細緊」が取れないとき、この脈を取ることに主眼を置くべきでしょうか？

A　アレルギーのある人は、神経過敏で性格が性急な人が結構いますので、脈は変わりにくいです。あまり深追いし過ぎないようにしたほうがよいでしょう。

診察

Q21 診察の後、患者さんに治療の説明をするとき、どのように話しますか？

A まず問診し、脈を診ますね。腹診、火穴診、局所反応点等の所見と、症状の長さや痛み等の度合いから、おおよその見通しを立てて話します。治療後、1～2回で変わってくれば、身体が治る方に舵を切ったと考えてよいでしょう。

また、よくなっていくと、「悪い範囲が狭くなってきます」と患者さんにいいます。実際、脈、腹の反応の変化から治る方にいく患者が多いです。

Q22 「脈と腹の逆証」の場合は、「実証」の方を治療するという方針でよいのですか？

A 逆証の場合は、腹を重視します。例えば、脈が緊、数で実のとき、腹は反応なし、あるいは擦診痛の虚であれば、この腹の虚を優先して治療します。

Q23 圧痛点を診るときに「圧痛」と「痛気持ちいい」という患者の反応の違いはどう考えればよいのですか？

A 「圧痛」は実、「痛気持ちいい」は大きな症状がないときには虚でも実でもないとみていいでしょう。圧痛や張り感は邪気が旺盛な状態とも考えられます。「痛気持ちいい」というのは、そこまでは至っていない状態かなと思います。

Q24 腰痛や肩腕痛などで、仰臥位になれない患者さんの腹診の診方は、どうすればよいですか？

A 座位などでできる範囲で行えばよいでしょう。できる状態になってから、正式に行ってください。

Q25 腎経の火穴に圧痛があって、下腹部軟弱の腎虚を現わしている場合は、どちらを優先したらよいのですか？

A 腹を優先します。逆証の脈と同様です。ですから、この場合は、腎の気水穴は処置しないということです。

Q26 「いつも風が吹いているように腰が冷える」と訴える患者さんがいました。この方はどう診たらよいのでしょうか？

A 虚証で正気の不足が考えられます。時折、低血圧の人に診られ、全身の血液量の減少や末梢血管の血流障害が考えられます。

Q27 椎間狭小ではなく、椎間が広い場合はどうしたらよいですか?

A 腰椎分離症や腰椎すべり症で、椎間が広く開いている場合は施灸が効きます。虚の病証と思われます。

Q28 「膝や下肢痛は脛骨外縁の狭小を診る」といわれますが、どのような状態なのでしょうか?

A 脛骨外縁の狭小は、脛骨と前脛骨筋との間にゆとりがなく、詰まって狭くなっている状態です。下腿の気血の巡りを阻害しているので、これを促すために胃の気処置を施します(P87参照)。

Q29 膝の水を抜いた後に来院された人の治療で注意することはありますか?

A 抜いた後、局所に熱があれば灸はできません。しかし、熱がない場合は、繰り返し膝に水が溜まらないように施灸をします。灸をすることで、滑膜の炎症を抑え、余分な水を吸収させる効果があります。

Q30 切皮瀉の場所の決め方は?

A　硬く張りの強い所を探して、こりをほぐすように雀啄瀉鍼を施します。治療の仕上げとして、最後に行った方がよいですね。

Q31　ヘルペスの気水穴処置は陽経が多いのですが、陰経は診ないのですか？

A　基本的に罹患している経絡、例えば肋間神経痛などは陽経が多いので、主に陽経を使います。あまりありませんが、三陰、三陽すべて反応が出ているときは、陽経に「肺経・腎経」の気水穴を加えます。

Q32　生後3カ月の赤ちゃんが治療に見えているのですが、鍼治療は何歳からやってよいですか？

A　乳児は3～4カ月で頚が座ってきます。個人差はありますが、頚が座っていれば大丈夫です。乳児は免疫力が弱いので、特に注意が要ります。

処置

Q33　いくつかの処置を行う場合は、別々に処置をした方がいいですか？

A　弱、短などの強心処置や胃の気が非常に弱い場合は、これらを優先的に行いますが、基本的には扁桃処置や瘀血処置、副腎処置など、同時進行でよいでしょう。

Q34 留鍼が必要な処置は何になりますか？

A 長野式では、雀啄を重視して考えていますから、何でも長く留鍼するということではなく、留めながら施術することが多いですね。自律神経調整処置や扁桃処置などは、雀啄が多く、長い留鍼は少ないですね。主に長く留鍼するのは、強心処置（三陰交・陰陵泉・労宮）、副腎処置（「照海あるいは復溜・兪府」、または「照海あるいは復溜・兪府・尺沢」、もしくは「照海あるいは復溜・兪府・天牖・手三里」）、胃の気処置（胃の気の脈が特に弱いとき、流動性が出るまで雀啄留鍼）、気管支喘息の処置（太渓・陰陵泉・尺沢）などです。

Q35 留鍼するのは、重症のときだけですか？

A 慢性症や治りにくい場合は留鍼が必要です。それと、継続して通院する患者の身体のメンテナンスとして留鍼することはあります。

Q36 扁桃処置と肺実処置との違いは何ですか？

A 扁桃処置は長野式治療の根元的処置で、免疫機能強化です。配穴は、扁桃7点を基本に取ります。一方、肺実処置は主に尺沢が中心で、腹診（右天枢の反応や募穴の反応）が目安になります。また、火穴の魚際の圧痛があるかどうかでも判断でき、気水穴を用いるため、この場合は肺経実処置といえます。

Q37 副腎処置において、「照海・兪府」、「復溜・兪府」などの組み合わせがありますが、「照海」と「復溜」の使い分けは？

A 照海は、さまざまなケースで多用できます。復溜は照海の代用になり、鍼が初めて、あるいは過敏な人は復溜の方がよいでしょう。急性、慢性は関係ありません。太渓は、咳・痰等、喉の症状があるときに取穴するとよいでしょう。また、築賓は、解毒効果があります。肥満体型の人にも有効です。

Q38 下腹部が非常に軟弱で、脈が弱、細のときに副腎処置を優先してよいですか？

A 弱、細のときは、心機能改善を優先して、三陰交・陰陵泉・労宮に留鍼するとよいでしょう。心機能が改善されないと、副腎処置を行ってもあまり効果がありません。百会に熱感がなければ、この留鍼を加えます。

Q39 肝実処置は遅数に関係なしに両方の処置をしてもよいですか？

A 数脈は右の復溜、漏谷、尺沢（曲池）、郄門、少海を取穴します。遅脈は左会陽（右も可）、右大腸兪（左も可）、これが原則です。数は陽ですから、手足の陰経を使います。遅は陰ですから、陽の背中に求めます。陰陽のバランスをとっているわけです。長野式治療の大原則ですね。

Q40 左天枢に圧痛があり、肝実処置をするとき、脈が滑で、数でも遅でもない場合、どちらの処置を行えばよいですか？

A 遅、数でもないということは、平常ですから、遅脈の処置を取ってよいです。遅、数がわからない場合も、遅脈の処置でよいでしょう。左天枢の圧痛消失が大切です。

Q41 足底裏横紋等の自律神経調整処置は、痛みを出さないようにといわれますが、痛みの少ない刺鍼方法は？

A 基本的に押し手で決まります。押し手の母指と示指を刺鍼部にやや強く押し当て、少し指を広げるようにして、患者の皮膚をピーンと張らして切皮をすると、比較的痛みが少ないでしょう。それと、末端の穴は過敏ですから、1寸の0番がよいです。

Q42 横V字椎間刺鍼と交感神経機能促進処置は同じですか？

A 違います。横V字椎間刺鍼は、血管運動神経に関与しています。あまり遅数に捉われず、椎間狭小部の横突起の下に、潜り込ませるようにV字で刺鍼を行います（P73参照）。

一方、交感神経機能促進処置は、脈が沈、遅というように副交感神経が強いので、交感神経の機能を賦活させるのが目的です。処置は関係臓器・器官に相当する椎骨の高さの督脈・膀胱経上の穴の雀啄補鍼です。

Q43 五十肩など頚椎への横V字椎間刺鍼は坐位で行うのでしょうか。また、その刺鍼深度はどれくらいですか？

A　もちろん、伏臥位でとってよいです。ただ、坐位の方が患者の頚が前後屈できるため、術者が椎間を探しやすいでしょう。ただし、胸椎・腰椎は伏臥位がよいです。深さは10～15㎜くらいで、高齢者は深刺はせずに5㎜くらいです。

Q44 横V字椎間刺鍼を行った部位に、施灸はしないのですか？

A　刺鍼と皮内鍼のみです。施灸は椎間の腰椎すべり症や腰椎分離症のように、椎間が開いている場合に行います。狭小部は皮内鍼が効きます。

Q45 関節リウマチに対する横V字椎間刺鍼の位置は、どの辺を狙うのですか？

A　上肢の痛み・こわばり・腫れはC5～C8、T1辺りで、両側がよいでしょう。

Q46　関節リウマチで、足関節が腫れているときの横V字椎間刺鍼の位置を教えてください。この場合も両側に行うのですか？

A　足関節の横V字椎間刺鍼は、下部腰椎および仙骨神経叢（上髎・次髎など）が該当します。患側だけでもよいですが、両側に刺鍼してもよいでしょう。浅い刺鍼では効果が薄いので、10〜15㎜くらいは刺入します。

Q47　関節リウマチの患者さんで、すぐ疲れて刺激が多いと熱を出してしまう方がいます。この場合、施灸の数を減らしてもよいですか？

A　熱が出る人は、感受性が強いですね。患者さんの身体が、刺激が強すぎるといっているのです。こういう場合は、鍼数、施灸壮数を減らした方がよいでしょう。

Q48　手と肘が伸ばせず、肩関節も痛い。医師はリウマチではないといっていますが、リウマチという診断がない患者でも、リウマチの処置は効きますか？

A　血液検査がRAマイナスなど、リウマチの基準を満たしていなくて、脈が洪の患者、逆にRAプラスで、洪脈を打っていない患者など、さまざまなパターンがあります。

医師の診断がすべて正しいとは限りません。無論、こちらにもそれはいえますが、まず洪脈が打っていて、近位指節間関節や中手指節関節のこわばり・痛みが左右対称に出ていれば、RAマイナスでも関節リウマチの可能性は大です。この場合、リウマチ処置を行っていきます。

Q49 陽輔・外関の使い方で、側弯や胸鎖乳突筋の緊張がなくても、使ってよいですか?

A　中枢神経性の後遺症は丘墟・上四瀆がよいです。末梢神経性の症状に対する陽輔・外関の使い方は2つあり、まず後天的な側弯に対しては、数脈、陽輔の圧痛があれば、陽輔・外関といいますが、あくまで原則です。例外はあります。もう1つは末梢神経障害で、これは条件に関係なしに使えます。

Q50 丘墟・上四瀆や陽輔・外関で健側を使ってみて効果がないときは、患側を使ってもよいですか?

A　あくまで原則です。効果が出れば両側に刺鍼してもよいでしょう。

Q51 アレルギー処置の督脈の穴は普通に刺すのですか。それとも横V字椎間刺鍼ですか?

A　督脈上の穴には通常の刺鍼雀啄を行います。横V字椎間刺鍼は、血管運動神経活性化が目的ですから脊髄後根あるいは交感神経幹を目標に刺鍼します。アレルギー処置とは違います。

Q52 蕁麻疹処置の皮内鍼固定と施灸の使い分けは？

A 蕁麻疹処置は、基本的には肩髃・築賓に施灸をしますが、これが苦手な患者は皮内鍼でよいです。また、アレルギー体質は皮膚が過敏なので、テープかぶれを防ぐために、施灸するという意味もあります。肩髃は動きが激しいので、施灸が望ましいですね。

Q53 花粉症で眼がしょぼしょぼしている人に、眼科の処置は有効でしょうか？

A 効きます。眼窩の周辺とT4に雀啄刺鍼をします（ただし、眼窩周辺は1寸0番を使います）。他に内ネーブル4点処置も効果があります。T4は巨厥兪ですね。

Q54 「胃の気3点」の詰まりは、とれるまでやった方がよいのですか？

A 詰まり自体は簡単にとれません。少しでも硬化が和らげばよいです。この詰まりには2つの意味があります。1つは胃の気のめぐりがスムーズにいっていないこと。もしくは、頸肩などのこり性タイプですね。

Q55 胃の気処置で、片方だけ狭い場合、患側だけでよいですか？

A この処置は原則、両方してください。

Q56 逆流性食道炎の治療は、胃の気処置でよいでしょうか？

A 胃酸過多（胃実）なので、この処置は使えません。逆に胃の働きが活発になって、悪化する恐れがあります。この場合、解渓に圧痛があれば、胃経の気水穴を使います。

Q57 気流促進処置としての曲池3点とは何ですか？

A 気の流れを阻害している患部の結合組織をほぐしていくことを目的としますので、曲池を使っていきます。特に、左側のみ3点を使います。左は「気」、右は「血」に関係していますす（『鍼灸重宝記』など）。硬く、反応のある曲池の周囲から2、3点選び、刺鍼雀啄を行います。

Q58 肋間神経痛の前通枝と側通枝の皮内鍼の固定方向は？

A 皮膚のしわと平行に留めます。前後方向は関係ありません。前通枝（前皮枝）・側通枝（外側皮枝）は皮内鍼ですが、後皮枝は施灸もよいでしょう。

Q59 痰がからむときの処置はどうすればよいですか？

A 手関節横紋中央に大陵という穴があります。両側取ります。また、滑脈を打っていれば、商丘、陰陵泉などの脾経を使います。脾は津液を主り、痰もこの中に入ります。

臨床

Q60　治療はどこで成功とみるのですか？　所見に合わせた治療を行って、すべての反応消失で治療の見切りとするのですか？

A　治療して、少しでも悪い範囲が狭くなっていけば、治っていきます。反応が全部取れても、自覚症状があれば、まだ治ったとはいえません。日常生活に支障がなくなれば、一応、成功したとみることができます。治り方には個人差があります。

Q61　刺激量の限度はどれくらいですか？

A　過敏な人や鍼治療が初めての人、高齢者は強刺激や長時間の治療は避けてください。変化や反応が取れるのを目安にして、そこまでにとめておいた方がよいでしょう。症状を追いかけて過剰刺激になると、かえって疲れが残り、悪化します。慣れてきたら、反応を見ながら少しずつ増やしていけばよいでしょう。

Q62　「雀啄はイメージを描きながら行う」といいますが、どんなイメージですか？

A　経絡に沿って気がめぐっていくようなイメージを描きながら、雀啄していきます。漠然と機械的な雀啄は駄目です。気のめぐる速さは、「一呼吸で6寸」（『難経』第一難）という記述があります。これを参考にしてみてください。

Q63 雀啄を終了する目安は、緩んだ感じがしたときですか？

A 必ずしも緩むばかりではありません。個人差があって、過敏な人はわずかに雀啄しただけでも、症状が取れていきます。帯脈などは、硬いのがとれるように長めにしていきます。患者や部位によって雀啄の目安は変わってきます。

Q64 抜鍼の順番はあるのですか？

A 特にありません。どこから抜いてもよいです。ただし、場合によっては雀啄しながら抜鍼してください。

Q65 灸は何壮ずつ、どれくらいの期間を続けたらよいですか？

A 直接灸は通常5〜7壮。風邪を引いて、鼻・喉の症状があるときは、大椎に15〜25壮くらい。関節リウマチの特効穴の陽陵泉も15〜25壮くらい。症状が軽減してくるまで続けます。どんな頑固な症状も、3カ月毎日すえると、変化してきますよ。自宅で施灸してもらうように指導します。

Q66 患者さんに自宅施灸をしてもらう場合、嫌がらずに施灸してもらうコツはありますか？

A 若い人は直接灸を敬遠しますから、シールを貼って行います。もしくは、紫雲膏という塗薬（漢方薬で唯一の外用薬）を塗って施灸するという手もあります。

Q67 皮内鍼は何日くらい留めたままにしておくのですか？

A 通常は1週間くらいです。人によって、剥がれやすかったり、長く付けている方もいます。長く付けていると効果が薄れていきます。

Q68 督脈上の皮内鍼を固定する方向は、上でよいのでしょうか？

A 督脈上の皮内鍼は、左右どちら向きでもよいので、横向きに固定します。流注に沿って上向きや下向きだとチクチクしてしまいます。

Q69 リウマチで西洋医学をあれこれやった後で、鍼灸にいらした患者さんはよいのですが、西洋医学と併用して治療に来ている場合、ステロイドをやめろと言いにくいです。どうしたらよいですか？

A 結構、併用している場合もありますね。ステロイドを急にやめて切り替えると、身体の方が驚くので、まずは併用しながらの治療になります。こちらは薬をやめなさいとはいえません。段々、症状が軽減してくると、患者自身もステロイドを減らそうという気になります。医師からもそういう指示が出てくるでしょう。

Q70 扁桃処置の照海に圧痛があり、痛がるときは復溜に代えて処置しますが、圧痛がある方を治療点と考えた方がよいのですか？

A 基本的には、照海も復溜も同じレベルで考えてもよいでしょう。圧痛だけにこだわらなくてよいです。過敏な人には復溜にしてあげてください。

Q71 患者さんに坐位で帯脈の雀啄を行っていて、失神しそうになりました。なぜでしょうか？

A 鍼治療が初めての患者さんは、何をされるか不安でいっぱいのはずです。不安感を与えないように、十分な説明が要ります。それと仰臥位でするとよいでしょう。

低血圧、若い女性、鍼が初めての人は要注意ですね。一時的な貧血かもしれませんが、必ず坐位になる前に説明すれば大丈夫です。

Q72 橈側手根伸筋群への刺鍼方向は、筋線維に沿った方向ですか？

A 筋線維に対して垂直に刺鍼していきます。

Q73 心包経の異常では、この経絡を治療点に使わないのですか？

A 心包は機能的な複合体ですから、例えば心臓神経症の場合は、心包よりも自律神経が関与しているので、副腎処置や自律神経調整処置を行います。また、逆流性食道炎は実証なので、心包を当たるより、脾・胃経の実を取る気水穴を使います。

Q74 ぎっくり腰のタイプにもいろいろありますが、次のような場合は、どう処置したらよいのでしょうか？

（1）ぎっくり腰になった直後に処置をして、翌日ひどくなった。

（2）身動きが取れないほどの重症者。

（3）処置をして軽くなったが、局所に痛みが残る場合。

A これをやれば絶対よくなる、とはいえません。まず、脈を診て、痛みの強いときは緊、数が多いので、いきなり局所は触らないようにします。手足の末端から処置をし、脈を変えてからやっていきます。

帯脈がこわばっている人がいますが、いきなり深刺ではなく、浅く弱めでじっくり雀啄していきます。靱帯、筋膜、椎間あるいは心因性など、すぐには特定しにくいですが、まず脈状からの処置が大事です。

肉離れのような筋断裂は身動きが取れませんし、鍼灸の適応外ですね。処置した翌日にひどくなるのは刺激が強すぎたかもしれませんし、好転現象で一時的に悪くなって、その後、楽になるケースもあります。局所に痛みが残るときは、局所の切皮瀉が効果的です。

Q75　腰椎すべり症の方で、週1回しか来院できない患者さんは、どのように治療を組み立てていけばよいですか？

A　その方が施灸できるのでしたら、灸を治療に組み入れてください。腰椎すべり症には施灸がよく効きます。その場合、すべり症を起こしている棘突起の間、落ち込んだ椎間に施灸します。

Q76　坐骨神経の痛みとしびれがあり、そのため眠れない場合は、どのように治療したらよいですか？

A　神経根を圧迫しているかもしれませんね。坐骨処置が非常に効きます（P82参照）。よくなってきたことがわかる目安は、夜が眠れ出したということ。そして、痛み・しびれの範囲が狭くなっていきます。

Q77　膝の変形がひどく、手術に該当する人の場合、施灸の区切りはどう考えたらよいで

すか？

A　施灸でよくなる人は多いですが、すべての方というわけではありません。日常生活に支障がなくなり、楽になってくるのが1つの区切りです。軟骨がすり減って、病院で注射しても軟骨は再生しません。ここには血管も神経も通っていません。よって、膝周辺の筋肉、靭帯を活性化させるわけです。そのための処置が施灸になるのです。

Q78　膝の手術（人工関節、半月板などの手術）後に治療する場合の注意点はありますか？

A　大腿四頭筋、腸脛靭帯などの筋力をつけるために施灸をしていきます。刺鍼は骨盤部、坐骨神経・大腿神経、局所の結合組織、半腱様筋・半膜様筋などの硬い所や、該当箇所をほぐすように雀啄をしていきます。

Q79　肩関節がガクガクして外れそうな痛みで、靭帯の緩みがある人に帯脈処置を使って少し改善しているのですが、他に手立てはありませんか？

A　T9に横V字椎間刺鍼や筋縮への雀啄刺鍼はよいです。他に頚椎の両側横V字椎間刺鍼もよいです。

Q80　圧迫骨折の症状緩和の治療はどのように行えばよいですか？

A　骨折の程度にもよりますが、腰椎に少し亀裂が入っている分離症は、施灸が効きます。骨折の治療は注意を要しますね。

Q81　顎関節症の治療で、帯脈処置の後に、局所の切皮瀉でもよいでしょうか？

A　治療の最後に切皮瀉を行ってもかまいません。顔面ですから、鍼は1寸0番がよいでしょう。

Q82　手根管症候群は、患部を固定しなくてよいですか？

A　これは正中神経の絞扼障害ですから、必要ありません。横V字椎間刺鍼で血流の改善を促し、時として局所の切皮瀉もよいでしょう。

Q83　6年前に坐骨神経のヘルペスを発症した患者の治療を行っています。気水穴への施灸を1年くらい続けていますが、何度もぶり返してしまいます。他に何か必要ですか？

A　大事な点が欠けています。坐骨神経に沿った施術はよいですが、ヘルペスは必ず手足両方の経絡を取ります。ですから、この場合は膀胱経・胆経に対して手の小腸経・三焦経の気水穴も必要です。

Q84 片頭痛の治療で気をつけなくてはいけないポイントはありますか?

A 所見通りに治療を組み立てることが大切です。症状がひどいときは、緊、数もしくは弦、数が打っているので、強刺激は避けます。自律神経調整処置、C7・T1・T2などに横V字椎間刺鍼を施し、過剰刺激にならないように気をつけます。

Q85 血圧が186/98という患者がいますが、扁桃処置、横V字椎間刺鍼、屈伸等を行ってもよいでしょうか?

A できます。大丈夫です。いつも血圧が高いわけではないと思います。高血圧は、血管拡張効果のある副腎処置が効きます。

Q86 低血圧の場合の治療点を教えてください。

A 厥陰兪・心兪などの心機能を高める穴に施灸することが大切です。それから、体質改善を目的に、三陰交・血海・内関に長く施灸することで、血圧が変わってきた症例がいくつかあります。目安は3カ月くらいです。

Q87 顔面神経麻痺に使う鍼の太さはどれくらいですか?

A 1寸0番で、浅刺雀啄ですね。

Q88　5年経った顔面神経麻痺も鍼灸適応ですか?

A　末梢性なら対応でき、十分効果が出ます。しかし、中枢性の麻痺は不適応ですね。

Q89　顔面神経麻痺の刺鍼は、圧痛を目安にするのですか? それと顔面部はどのような穴を使いますか?

A　圧痛は考えなくてよいでしょう。麻痺はたいてい片側ですから、患側の攢竹、眉中(魚腰)、糸竹空、瞳子髎、耳門、聴宮、下関、翳風、迎香、頬車、地倉から適宜選択します。

Q90　顔面神経痙攣の処置の中で、顔面に刺鍼しないのはなぜですか?

A　痙攣は実なので、局所は当たりません。横V字椎間刺鍼等で、遠隔部から治療します。

Q91　アトピー性皮膚炎の治療上の注意点は何ですか?

A　鍼治療だけではなかなか根治に至りません。施灸を加えると、段々と変わってきます。最低でも3カ月の施灸が必要ですね。本人がどのくらい治す気持ちがあるかで、治り方も違ってきます。

Q92 アトピーは症状が出ている側を治療するのですか?

A 所見に沿って、扁桃処置や瘀血処置、アレルギー処置にプラスして、肩髃・築賓の両側を治療していきます。皮内鍼もしくは施灸を行いましょう。片側では効きません。

Q93 アトピーの患者で多量の薬や強い薬を使っていることがありますが、どう指導したらよいですか?

A ステロイドの塗布剤を使っていることが多いと思いますが、症状が好転してきたら徐々に減らしていけばよいので、いきなりやめてはいけません。こちらから「やめてください」ともいえません。

Q94 花粉症で治療に時間がかかる場合、何回ぐらいの治療が必要といえばよいでしょうか? また、続けて来院していただくためにはどうすればよいですか?

A 花粉症の患者には8~9割くらい効果があります。1~2回治療して効果を出さないと、次は来てくれません。

治療の回数を何回とははっきりいえません。というのは、その患者の体質や症状の長さによって違ってくるからです。通常は花粉症の症状の出る期間(スギは2月~3月)は来てもらった方がよいです。その間、仕事が手につかなかった人でも、治療で症状をかなり抑え込むことができます。そうなると仕事ができるわけで、効いたのが実感できれば治療に来てくれます。来てもらうためには、扁桃処置、アレルギー処置および内ネーブル4点処置には必ず皮内鍼を固定します。皮内鍼は週1回の貼り替えが必要ですね（P45参照）。

Q95 糖尿病患者には施灸してもよいでしょうか？

A 糖尿病の人には、施灸できる人と、そうでない人がいます（施灸できない人は、肌が荒れやすい）。できない人には脊中、脾兪の皮内鍼で対応します。施灸することで血糖値が下がった症例もあります。

Q96 気管支喘息の治療は、留鍼後に施灸をしてよいでしょうか？

A 急性時には鍼だけで効くので、症状が緩和するまで十分に留鍼します。慢性症は施灸が必要になってきます。

Q97 男性の更年期症の治療はどうしたらよいですか？

A 男性の更年期症は、最近では、ＬＯＨ症候群といわれており、男性ホルモンの減退に起因するとされています。前立腺肥大もその中に入るのでしょう。男性の更年期は、60～70歳と女性よりも高齢です。男性も副腎皮質ホルモンの分泌強化が大切です。

処置は復溜・兪府・尺沢、至陰、中封、曲泉、風市、次髎・中髎、腰兪に雀啄、中極に皮内鍼固定です。

Q98 膀胱炎の施灸は、治療した穴すべてに行うのですか？

A 最も重要なのは蠡溝への施灸で、あとは扁桃処置の穴への施灸になります。特効穴の蠡溝には多壮灸です。11～15壮くらいがよいでしょう。

Q99 他の症状の治療に来院された患者で、うつ病が隠れている場合の治療は、どのようにしたらよいですか？

A うつ病が主訴でない場合は、本人が最も苦痛を感じている点（主訴）にポイントを置きます。しかし、実はうつから来ている症状、例えば頭痛や不眠、倦怠感などがあれば、自律神経調整処置のイヒコン、足底裏横紋、趾間穴、外ネーブル4点処置等を施し、カウンセリングもした方がよいです。

Q100 水虫に墨を磨って塗るとよいといわれましたが、アトピーにも効きますか？

A アトピーには効きません。これは民間療法で有名な築田多吉の赤本、『家庭における実際的看護の秘訣』に出ています。先代もこの方法を患者さんに勧めて、結構治っていましたね。ただし、アレルギーというよりも水虫、魚の目、タコなど、できもの系に効果があります。この墨は、墨汁では効きません。

経絡・経穴

Q101 陽経の気水穴はあまり使わないのですか?

A 火穴診の気水穴は、陰経を使うことが多いですが、もちろん、陽経を使ってもかまいません。陰経は五臓につながっていますから、診察では特に重要です。しかし、帯状疱疹などは陽経を主に使います。

Q102 薬の副作用を治療するための経穴は、肩髃・築賓でよいでしょうか?

A よいです。築賓は特に解毒作用があります。まず、明らかな薬の副作用がわかったら、医師と相談して薬の服用をやめてみるという選択もあります。身体が何らかの異常サインを出しています。

Q103 横V字椎間刺鍼で対象となる椎間の狭小部を探すとき、棘突起と横突起どちらを目安にしたらよいでしょうか?

A　棘突起を目標にした方が探しやすいでしょう。この狭小があれば、必然的に横突起も狭小しているわけです。棘突起と横突起で狙い所は違ってきます（P73参照）。

Q104 百会には留鍼してもよいですか？

A　留鍼する場合は、慢性化して頑固な症状のときになります。強心処置でも百会に留めます。ただし、熱感があるときは留めません。頭部瘀血もそうです。ブヨブヨして、熱感が強いときは瀉鍼を行います（図2－1）。

Q105 耳のめまい点の位置はどこになりますか？　圧痛を目安にして取穴するのですか？　固定期間は？

A　位置は「耳針穴位表示図」に拠っています。この図の中に、脳点、暈点というのがあります（図2－2）。1カ所というより、エリアですね。鍼管などで押さえて、この辺りの圧痛が強い部位に取ります。皮内鍼

〈頭部瘀血処置〉

▶ブヨブヨした部位に水平刺。雀啄瀉鍼をじっくり行う

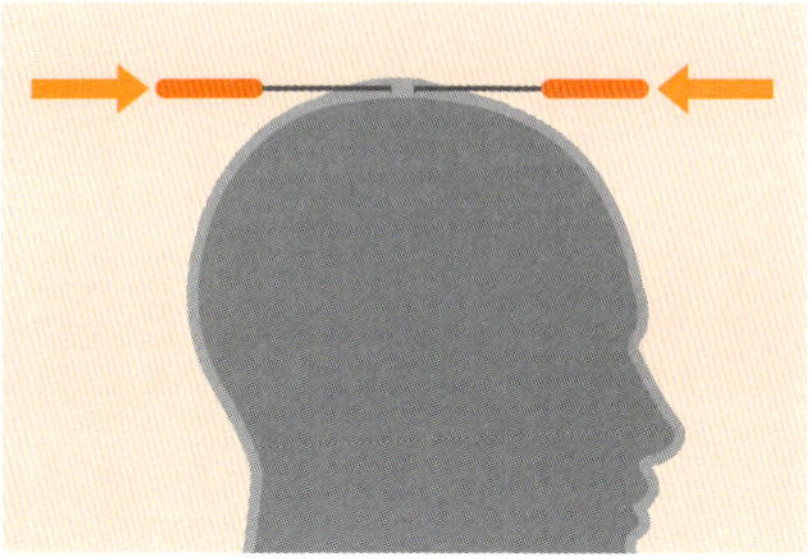

図2-1

は平軸3㎜を使い、1週間くらいを目安に貼り替えます。テープは和紙がよいですね。

Q106 目の魚腰（奇穴）の取穴は、しこりが目安になりますか？

A　正規には、眼球の中心線上の眉毛上縁に取りますが、臨床的には眼球の中心線上の眉毛下縁に取る方が効果があります。

Q107 天牖に切皮瀉を行ってもよいですか？

A　この部位が鬱血しているときはよいですが、それ以外は基本的に雀啄補鍼ですね。

Q108 咳嗽には、天突への雀啄が即効性があるといわれましたが、雀啄はどの程度行ったらよいのでしょうか？

A　微量な雀啄を行いますが、あまり本人の負担にならないように長くはしません。少し楽になるまでですね。

〈耳のめまい点〉

▶鍼管などで押さえて圧痛の強い所を取る

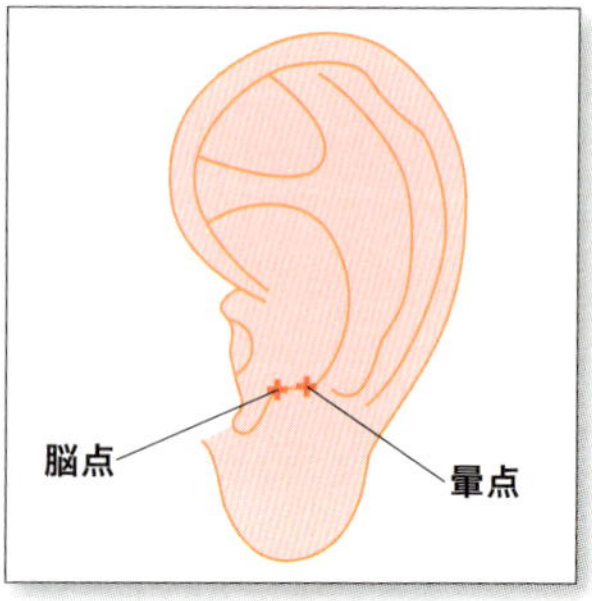

図 2-2

Q109　咳を止めるには玉堂に皮内鍼がよいということですが、中府でもよいですか？

A　中府を使ったことはありますが、患者さんが痛がったのでそれ以降は使っていません。玉堂の方が効きます。

Q110　膻中の虚実で、心包経の虚実を判断するのですか？

A　例えば、弱、短は虚になり、心包（心）虚になります。募穴の膻中の圧痛だけでは判断できません。1つの診察の参考にはなります。

Q111　腋下点の詳しい場所は、どこになるのですか？

A　腋下点は脇の下の平田十二反応帯「肺区」で、極泉付近をじっくり按圧し、もっとも圧痛が強い部位に取ります。皮内鍼はしわと平行に固定します。咳に効きます。

Q112　内ネーブルは硬結のある部位に取るのですか？　皮内鍼の深さは？　なぜ花粉症に効くのですか？

A　硬さは考えなくてよいです。臍のすぐ傍ら5分くらい上下左右の4カ所ですね。深さは皮内鍼を水平に1㎜くらいでも効果があります。

臍は『難経』の十六難の内証では、脾に当たります。脾は津液を主り、アレルギー反応は粘膜上で起きます。つまり、この津液の臍でアレルギー反応を流す働きがあるのではないかと考えます。

Q113 上四瀆に打つとき、患者が痛がることが多いのですが、めげずに続けた方がよいですか?

A　ここは痛い部位ですが、痛く感じないようによく揉捏して、刺入を慎重にします。それでも痛がる人は1～2㎜の雀啄でもよいです。不快感を与えないようにしましょう。

Q114 先ほどの講義で、支溝は扁桃処置といわれましたが、本来の扁桃処置なのですか? または別のものですか? それと虚証タイプの方にも使えますか?

A　扁桃7点とは別です。主に子供の扁桃処置として使っています。子供には扁桃7点は刺激が強いので、左右の支溝を使います。虚証タイプの方に使ってもよいですが、照海あるいは復溜も使ってください。

Q115 強心処置の労宮に刺鍼するコツはありますか?

A　手掌は張らないように、卵を持つように緩めて、よく揉捏して寸3の2番か1寸0番で

5㎜程度は刺入しないと効果が薄いですね。

Q116 中渚の使い方を教えてください。

A 副腎や自律神経調整として、照海・兪府もしくは照海・兪府・尺沢と使っていますが、以前は照海・兪府・中渚と使っていました。精神疲労が強いときに用いてもよいでしょう。

Q117 鍼が初めての人の帯脈処置は、坐位でもよいのですか？ 帯脈への刺鍼で、患側の反対側を取るのは硬いからですか？

A 初めての人には、仰臥位で行った方がよいですが、よく説明すれば坐位でもよいでしょう。先ほどの実技では、帯脈への刺鍼は患側が軟弱でしたから、硬い側を取ったのです。基本は患側ですが、硬化が強い場合は反対側を取ってもよいです。

Q118 数脈の患者さんに京門を使ってもよいですか？ 京門の皮内鍼の方向は？

A 京門は下垂処置のときによく使いますが、基本的には数脈では使いません。しかし、腎虚が強いときは、やや数位で使うことがあります。皮内鍼はしわに平行に留めれば、向きはどちらでもかまいません。効果には影響ないでしょう。

Q119 殿部圧痛点への刺鍼の深さは、どの程度ですか？

A　脂肪層を通して殿筋深くに刺入します。ここは筋肉層が厚い所ですから、3～4㎝くらい刺入しないと届きません。圧痛がある人は、何か硬いものがあります。その硬いものをほぐすように雀啄していきます。

Q120 次髎等への灸頭鍼の刺入深度は、どの程度ですか？

A　2㎝くらいは刺入します。深すぎると灸頭が熱すぎるし、浅すぎると鍼が曲がって安定せず、これも熱くなります。

Q121 因縁の穴といわれる風市は、どのようなときに使うのですか？

A　症状が取りがたいもの、痛みがわずかに残っているときに単独でも使いますが、因縁のいわれは定かではありません。

Q122 むち打ち症に内陰・解渓が効くとありますが、なぜですか？　内陰の刺鍼は硬いものを緩めるように雀啄するのですか？

A　内陰は奇穴で、大腿内側に取ります。この位置は平田十二反応帯の「小腸区」に該当します。小腸経は肩から頸部をまといますので、内陰はむち打ち症などに効果があります。鍼を打つとき、内陰は柔らかいので硬いものというより圧痛を探して刺鍼してください。なお、解渓は胃経なので胸鎖乳突筋に関与しています。経験則的なものが根拠と考えます。

Q123 蠡溝は施灸の代わりに、皮内鍼でも効果がありますか?

A 膀胱炎などの特効穴である蠡溝は、特に施灸がよく効きます。どうしても灸を嫌う人は、皮内鍼でもかまいません。

Q124 長野式治療の胆嚢点はどこですか?

A これも奇穴で、胃経上で解渓よりも4横指上に取ります。自律神経的な胆道ジスキネジーにも効果があります。胃の気3点の1つに近いですね。胃の気の流れもよくなってきます。

Q125 肝虚のときの大敦の処置は、鍼と灸どちらがよいですか?

A 末端は神経が過敏です。鍼は慎重に痛みを与えないように、微量雀啄の補鍼です。施灸も行った方がよいですが、過敏な部位です。無理強いは禁物です。

Q126 のぼせのとき、趾間穴には瀉鍼を行うのですか?

A　のぼせは頭部や顔面をいいます。逆気していますので、下肢の方に下げますから一概に補瀉ではないですね。

Q 127 足底裏横紋の取穴は圧痛を目安に探すのですか？

A　圧痛があればわかりやすいですが、基本的な穴の位置で取ればよいでしょう。

Nagano-Method
Acupuncture Treatment

3章

症例

12の物語

本章では、長野式治療の診察・処置法を駆使して治療に当たった症例を取り上げていきます。紹介する症例は、単なる患者の疾病の記録ではなく、その患者の人生の物語の断面として述べていきます。

CASE 01

仕事の無理が重なった末の心身症

【女性・22歳・塾講師】

この病気は心に原因があって、身体に症状が出る疾患の総称です。彼女は、まさに心身症でした。

この患者は、学生時代から過敏性腸症候群があるくらい、非常に神経過敏な体質でした。大学の4年間は、比較的のんびり過ごしていたようですが、卒業後、郷里に帰ってきて、小さな学習塾に就職し、それまでとは環境がまったく違うなかで、毎日かなり長い時間（9時～23時）拘束され、多忙のなかで心身ともに疲れ果てていました。

最初の身体のサインは、就職したばかりの2月に起こったパニック障害でした。それがまだ十分治っていないなかで、その2カ月後に発熱、半身のこわばりが生じました。身体が再び警告サインを発したのです。

そのサインは、身体の各部位の反応として現れていました。まず、脈状は緊で、天牖、然谷、陰陵泉、右天枢に圧痛がありました。自律神経失調によって、リンパ性器官の口蓋扁桃に反応が出て、左耳下リンパ節までも腫らしていました。免疫力が低下すると、胸鎖乳突筋の緊張も引き起こします。

●主訴

左半身のこわばり、違和感。

●現病歴

大学卒業年の2月に、郷里の大分市の学習塾に就職した。勤務初日にパニック障害が起き、内科病院で治療を受ける。しかし、1週間経って再発。仕事がハードで、まだ慣れていないこともあって、来院1カ月前から発熱、喘息の症状も出ている。家族に勧められて来院。今は精神安定剤や胃薬を服用。この1週間は仕事を休んでいるが、普段、帰宅は深夜0時頃になるという。

●既往症

大学時代に過敏性腸症候群を患っている。

●随伴症状

左手と左足の軽いしびれ、微熱（37・4℃）、食欲不振、胃もたれ、立ち眩み、吐気、不眠、左こめかみ痛、左耳閉感。

●所見

脈はやや緊。右天枢、天牖、然谷、陰陵泉に圧痛あり。左胃経内側の脛骨外縁狭小が強い。胸鎖乳突筋の緊張は右より左が強い。左耳下リンパ節腫れ・圧痛あり。全体的に左半身の筋肉が硬い。

●処置

①扁桃処置、②筋緊張緩和処置、③自律神経調整処置（委中・飛揚・崑崙、腰兪、外ネーブル4点）、④胃の気処置、⑤肺実処置。

●経過

初診　術後、陰陵泉と然谷の圧痛が消失する。「圧痛が取れてきているということは、鍼が効いていています。症状によい変化が出てきますよ」と不安を和らげるようにいう。

2診（**2日目**）　患者が「だいぶ身体が楽になってきた」という。左肩から腋下にかけては痛む。前回の治療前のような緊脈は打っていない。胸鎖乳突筋・陰陵泉の圧痛はまだあるが、然谷はない。扁桃処置、筋緊張緩和処置、骨盤鬱血処置、胃の気処置を行う。

3診（**5日目**）　左耳下リンパ節痛あり。左足に力が入らない感じがするというが、左脛骨外縁の狭小は、かなり緩んでいる。脈はやや緊数。扁桃処置、自律神経調整処置、筋緊張緩和処置、骨盤鬱血処置を行う。

4診（**7日目**）「昨日から微熱が下がり、36℃台になった。1カ月ぶりだ」という。左半身がだいぶ楽になっている。眠れ出した。吐き気もない。しかし、足の違和感はまだあり、食欲はまだあまりないという。

5診（**13日目**）　左耳下リンパ節痛がなくなる。眠りはよいが、食欲はいま一つない。「左肩甲骨辺りが痛むが、他の症状は楽になっている」とのこと。

右天枢の圧痛なし。胸鎖乳突筋緊張や陰陵泉の圧痛はもう少しあるが、他の反応はすべて消失している。扁桃処置、骨盤鬱血処置、筋緊張緩和処置、横V字椎間刺鍼を行う。
その後、職場に復帰する。

最初、診察したときは顔色が悪く、多少こわばっていましたが、段々、治療をして症状が軽くなってくると表情も和らぎ、笑顔が出てきました。2週間くらいで仕事にも行き出しました。
なぜ、よくなっていったのでしょう。その答えは、所見にあります。**所見に出ている反応は、症状が治っていく自然治癒を阻害している要因なのです。その阻害要因を取っていったから、治ったわけです。**

CASE 02

うつ病および良性発作性頭位めまい症

【女性・42歳・主婦】

彼女は母親に連れられて、当院に来ました。一見、目がトローンとして、無表情。ほとんど話をしません。うつ状態であることが、すぐにわかりました。

治療しながら、ぽつぽつと話を聴き、彼女の背景が段々とわかってきました。自宅を新築することになり、参考になる本や専門的な設計本を数冊買い込み、毎日根を詰め、設計図を書き上げるまで頑張っていたこと。その間、ご主人は仕事が忙しいからとあまりタッチせず、ゆっくり話し合うこともなかったといいます。彼女が孤独で、不満を溜めながら詳細な設計図を書き上げたとき、マグマのように溜まっていたストレスが限界点を超え、身体の悲痛な叫びとなって一気に噴出したのです。

その結果、うつになり、また良性発作性頭位めまい症も発症してしまったのです。彼女は大学病院で良性発作性頭位めまい症だけの治療をしてもらっていましたが、ほとんど治らなかった、といいます。

●主訴

頭がボーッとしている。めまいがひどい。

●現病歴

5カ月前、某大学病院で良性発作性頭位めまい症と診断される。3カ月前に、ひどいめまいが再発して大学病院で治療を受けたが、あまり効果がなく、1週間前に実家の宮崎県延岡市に帰省。そして家族に連れられて来院。目がトローンとして、中空を見ている感じ。話さない。うつ状態であるのがわかる。

●所見

脈はやや緊。左天枢、左中注から左大巨にかけて圧痛あり。陰陵泉、然谷に

●処置

●経過

も圧痛あり。無感動な顔貌で生気がない。体格は細くて、虚弱体質のようだ。

①瘀血処置、②扁桃処置、③肝門脈鬱血処置、④骨盤鬱血処置。

2診（**2日目**） 後頭部が少し軽い感じがする。めまいは依然あり。寝返りや頭を上げたり、振り向いたりするとひどい。腹部すべてに圧痛があり、肝実処置をやめて、自律神経調整処置に替える。

3診（**4日目**） 前頭部に痛みがあり、めまいは変わらずあるが、腹部の圧痛はない。目に力が入ってきている。全体的に薄紙を剥ぐような感じ。脈が当初より穏やかになり、腹部もよい。患者は「眠りもよい」という。ようやく身体がよい方向に舵を切ってくれた。

4診（**5日目**） 右の方がめまいがひどい。良性発作性頭位めまい症は、三半規管の耳石の流通障害である。前庭の左右どちらか一方の三半規管に耳石が混入したため、片側の機能が急激に低下して起こる。本症例では、おそらく右側の耳石の障害が考えられた。頭痛はよくなっている。腹部の左天枢から左中注にかけての反応はある。

6診（**9日目**） 脈はやや緊。腹部や然谷の圧痛は消失する。扁桃処置、自律神経調整処置を行う。

7診（**11日目**） 回転性のめまいはまだある。脈はやや緊数。6診と同様の処置を行う。

一方では、彼女の治療は彼女の背景を詳しく聴きながら行った。冒頭に書いたように、筆者は彼女に「鬱積したストレスが限界を超えて、身体の声として、このようなうつ病や良性発作性頭位めまい症を起こさせたのですよ」とていねいに話していった。彼女は安心したのか、合点がいったのか、目に光るものを映していた。

9診（**19日目**）　めまいは7診の治療以降、起きていない。頸部を右回施しても問題なくなった。前庭の平衡感覚が正常に戻ったようだ。その後、4回治療を行ったが、表情は明るく、目に力があり、よく話すようになっていた。ほぼ治ったのである。

この患者は、大学病院では良性発作性頭位めまい症（末梢性）と診断されて、このためだけの治療を受けていました。しかし、この患者は単なる末梢性めまいだけでなく、うつ病も抱えていて、その身体症状としてのめまいもあったと思われます。**目の前のめまいだけを治そうとするのではなく、めまいの原因になった疾患を見極め、それを治さなければ、治癒につながらないのではないでしょうか。**

CASE 03

長い闘いとなった強迫神経症（強迫性障害）

【女性・40歳・主婦】

学校の成績のよかった彼女は大手製鉄会社に就職し、めでたく職場結婚しました。結婚を契機に、生活環境がガラッと変わりました。専業主婦という環境や夫と些細なことなどのトラブルなどで、10年以上前から人に会いたくない、何もしたくない、などと家でふさぎ込むことが多くなっていました。

そうこうしているうちに、日常生活の確認動作が増えてきてしまうという問題が出てきました。例えば戸締りをしても何回も繰り返し確認したり、服を着るのに30分くらいかかったりしてしまうようでした。精神科では、強迫神経症といわれ、薬（抗うつ剤や精神安定剤など）を服用しているものの、あまり状態は変わらないとのことでした。本人の性格は真面目で几帳面、完璧主義者のようです。しかし、これが逆に災いしていました。長所が短所になっていたのです。

●主訴　自分の動作を何度も確認する。不安で何もしたくない。

●現病歴　結婚してから、生活環境の変化や几帳面な性格から、自分の中で齟齬が生じ、次第に大きくなっていった。10年以上前から強迫神経症と診断され、その治療を受けていた。しかし、あまり変わらず、母親が心配して当院に連れてくる。

●所見

脈は緊数。胸鎖乳突筋が硬化している。腹診では、火穴には特段、圧痛はない。脛骨外縁の狭小。筆者と初めて接していると不安が強いのか、落ち着きがないようだ。強迫神経症とともに、人の視線が気になる視線恐怖も感じている。

●処置

①復溜、兪府、天牖、手三里に15分留鍼。②扁桃処置、③胃の気処置、④自律神経調整処置。

●経過

初めは想像もしていなかったが、筆者の治療とこの患者の症状との長い闘いが始まったのである。

2診（4日目）　気分的にはよいという。

3診（8日目）　少し確認動作が減ってくる。留鍼を少し長めにする。また副交感神経を鼓舞させるために、次髎への灸頭鍼を加える（仙骨部は副交感神経の中枢部に当たる）。

4診（15日目）　洗濯、ガスの確認動作がずっと減ってきた。

初回から、鍼灸治療に並行して、カウンセリングも行った。「現在の状態をただ悲観したり、逃げたりせず、とにかく今のままを受け入れていきなさい。今の状態を肯定しなさい（受容）。それとどんなに気分的に何もしたくなくても、一日最低限すべきこと、例えば洗濯や掃除など少しでもいいからやっていきなさい（実践）」という語りかけを何度も何度も繰り返した。本人は「先生、治るのですか。治るのですか……」と、それこそ何十回も聞いてくる。筆者の仕事中も帰宅後も関係なく電話してくることもあった。それだけ不安でどうしようもなかったのだろう。その都度、「治ります。今の状態を受け入れて、実行して行きなさい」と話した。そのうち、本人も段々わかってきたのか、あまり聞かなくなった。

8診（47日目） 以前より、確認動作が減ってきた。強迫神経症の人は、行動に移る前に強迫観念（鍵やガス栓の閉め忘れをしたのではないか、というような不安）があるが、確認動作が減ってきたということは、この強迫観念も薄らいできているわけである。つまり、頭の中で確認を繰り返す回路が、段々弱くなってきたのではないかと思う。

13診（97日目） 玄関の戸締りの確認動作はまだ何回か行うが、他の確認は減ってきたという。

14診（104日目）　精神科の薬をやめたいという。車の運転はまだできないが、イメージトレーニングを行ってみる。脈は以前のような緊ではない。

15診（125日目）　驚くべきことに1年ぶりに1人で運転して来院される。

16診（139日目）　確認動作がずっと減り、小さいことに拘らなくなった。玄関の鍵の確認が相当減った。この頃から、たいへん明るくなり、治療中もよく話しかけてくる。会話もだいぶスムーズになり、ほとんど人並みの話ができるようになった。

その後も継続的に治療を続け、状態はよかったり、多少戻ったりを繰り返すが、今はテニスに行ったり、旅行もできるようになったりした。

神経症の脈の緊数はあまり大きな変化はありませんでした。強迫性神経症は、性格に起因している一面もあり、性格が関与する症状はあまり脈の変化がないようです。

ここでのカウンセリングは、森田療法を活用しました。この療法は「とらわれ」から自由になることです。今の不安や恐れをそのまま受け入れ、身近なことから実践（作業）し続けることで、「とらわれ」からの解放を図る。つまり、この「とらわれ」が強迫観念になり、実践することによって、強迫観念という回路を分断し、乗り越えていくということです。

強迫神経症も、セロトニンなどの神経伝達物質との関与がいわれています。これに対する処置は、副腎処置、自律神経調整処置です。このような頑固で慢性の疾患には、留鍼が必要になります。

もう1点、大切なことは、医師と患者が話し合って、薬を減らしたこともよかったかと思います。強迫神経症だけでなく、精神科疾患（統合失調症やうつ病など）は、今まで「多剤大量処方」が当然のように行われていたようです。しかし、最近、国立精神・神経医療研究センター（東京都小平市）が患者の服用している薬を安全に減らすためのガイドラインを作成しました（平成25年）。多剤大量処方は、どの薬が効いているのかが不明確で、副作用のリスクも大きいのです。この医師向けの減薬のガイドラインは、患者にとっての福音になるかと思います。

CASE 04

「注射しかない」といわれた変形前の関節リウマチ

【女性・45歳・OL】

彼女は、高校生を抱えるシングルマザー、女手一人で家計を支えていました。5年くらい前から手指のこわばりや肘、肩に痛みが発症し、国立病院で関節リウマチと診断されました。

ステロイド剤や抗リウマチ剤、消炎鎮痛剤等を服用していましたが、一進一退でなかなか好転していきませんでした。「このままでは、ステロイド関節内注射を打つことになるよ」といわれ、それは受けたくないと思っているときに、友人から鍼灸治療を勧められ、藁をも掴む思いで当院にやってきたのです。

●主訴　手指のこわばり、肘痛、肩痛、膝痛。

●現病歴　5年前に関節リウマチと診断された。現在、総合病院のリウマチ科にかかっており、抗リウマチ剤、消炎鎮痛剤、胃薬を服用中。しかし、少しずつ悪くなってきており、このまま進行すれば注射を打つことになる。今まで鍼灸治療は受けたこともなく、関心もなかった、という。余程、注射を恐れていたようだ。炎症指数のＣＲＰは５・７（正常は０・３以下）。

●合併症　半年前からバセドウ病。

●所見　脈は洪数。腹証は圧痛なし。火穴も特に圧痛なし。陰陵泉に圧痛あり。前脛骨筋の溝のこり、胸鎖乳突筋に緊張あり。特に、右肩から上肢、肘にかけて痛む。手指のこわばりが強い。

●処置　①扁桃処置、②副腎処置、③筋緊張緩和処置（丘墟、上四犢、陽陵泉）④帯脈処置、⑤丘墟、四犢、陽陵泉（前述の③）に施灸。

●経過

3診（16日目）全身の症状が軽くなってきている。脈はやや洪、やや数。陽陵泉は施灸15壮を指示。

4診（25日目）脈の数は消失。段々よくなってきている。重いものを持っても、翌日に痛みが残らない。痛みが薄らいでいるのがわかる。特に、左膝は腫れ、熱がある。

5診（31日目）CRPが2・7に低下。こわばり等の症状が軽い。

6診（38日目）左膝も楽になってきている。本人曰く「8割方よい」とのこと。

11診（91日目）脈はやや洪やや数。CRPは1・75になる。左膝の腫れはあるが、熱はない。膝以外は不自由ない。「重いものが持てるようになり、足に力が入り出した」という。

19診（201日目）CRPは1・0。彼女は数年前からミュージカルダンスをやっており、一時はダンスの練習のし過ぎで膝が悪かったが、近頃よくなっているとのこと。

24診（281日目）CRPは0・3。ステロイドなどを減らされる。脈はまだやや洪。

25診（319日目）CRPは0・04。痛みはほぼない。ほとんど治癒と考えられる。

彼女の関節リウマチは、5年前から進行していた多周期型リウマチでした。慢性化したものは脈と腹証が一致しないことがありますが、この患者もそうでした。しかし、彼女は鍼に対する感受性のよい体質をもっていました。2回治療した時点で、全身の関節痛が軽くなっていたのです。

扁桃処置で全身的な免疫力を強化し、副腎処置は洪脈（心実）に対して、拮抗作用のある腎経を使うことで、これを抑えていきました。丘墟・上四犢は、奇経治療の応用であり、また胸鎖乳突筋緊張緩和の両方に効果があります。そして陽陵泉は、関節や筋肉の熱を取ってくれます。

帯脈処置は、言わずと知れた筋緊張、こわばりに著効を発揮します。これらの処置を2回しただけで効果があったのです。5回した時点で8割減。治療開始してから1カ月でした。炎症指数を表すCRPも約1カ月で半分以下になり、正常値の0・3以下は20回余り、9カ月くらいで正常範囲に入ったのです。

関節リウマチは鍼灸で治らない病気ではありません。ただし、すべてのリウマチが治るわけでもありません。急性進行型や悪性リウマチ、慢性化して関節が変形してしまっているものは、難しいでしょう。しかし、それ以外の**多周期型、単周期型や、骨の変形はしていない痛み、腫れ、発熱までのものは、十分に治るのです。**

彼女が最近、2年ぶりに来院されました。訴えは生理不順。リウマチのことは話題になりませんでしたが、念のためCRPを聞いてみました。「0・02」といって、他人事のように笑っていました。

CASE 05
中枢性の原因が疑われる視力障害（光視症）からの回復

【男性・85歳・無職】

男性としては珍しく、待合室で他の患者とよく話をする人でした。初対面の人でも平気で話しており、よく見ると頻繁に目をしばしばさせていました。この患者の最初の印象は、屈託のない明るいおじいさんという感じでした。この患者の友人が当院で治っており、「騙されたと思っていいから行ってみなさい」といわれて来院されたのです。

●主訴

物の見え方がおかしく、左右の線が交差して見えたり、波が打ったりしている。

●現病歴

6年前に左後頭部に脳梗塞を起こす。4年前に眼科で見え方がおかしいということで、眼球注射を受ける。3年前に白内障手術。今回のこの症状で眼科に行くと、眼瞼痙攣という診立てで、「眼瞼注射（ボツリヌス注射）をしましょう」といわれた。また別の眼科では、光視症の可能性があるといわれていた。

●既往症

29年前、メニエール病。16年前、大腸ポリープ手術。

●所見

脈は弦、やや細。この細は、眼の異常を表す。腹証は、右天枢、左中注、行間、陽輔、天牖にそれぞれ圧痛あり。陽輔の圧痛も眼の異常を示している。

●処置

①扁桃処置、②肺実処置、③瘀血処置、④眼科処置（P109参照。ただし、本来の眼科処置は内ネーブルは除外）。

●経過

2診（4日目）　初診の後、逆に悪い感じがするという。好転現象が出たのかと思い、「心配はいりませんよ、あとで楽になっていきます」と安心させる。

4診（11日目）　これまでの治療で、時々、患者は閃輝暗点という言葉を使っていた。前に診察を受けた眼科医からこれが出ているといわれていた。このとき、6年前に脳梗塞になったことを聞かされ、その後遺症の可能性も考えて、横V字椎間刺鍼も含めて、脳循環活性の治療も一緒に施していった。これが結果的に奏効した。

8診（38日目）　9割方よいとのこと。脈もほぼ平脈になっている。眼瞼の痙攣や閃輝暗点は相当、減っていると。

本症例の病因は、眼科医が診立てた眼瞼痙攣ではなく、6年前に発症した脳梗塞が影響しているのではと思い、その後遺症によって光視症が起こり、閃輝暗点（動脈の痙攣）が出現したのではないか、と考えたのです。

著効のあった処置は、横V字椎間刺鍼、眼科処置でした。この場合の横V字椎間刺鍼は椎骨脳底動脈を目標にします。この動脈は、鎖骨下動脈から起こり、椎骨動脈としてC7の横突起から頚椎を上行して、頭蓋骨に入ると、左右の椎骨動脈は合して脳底動脈になります。脳底動脈は脳幹・小脳に枝を出しながら、再び左右に分れて後大脳動脈になります。椎骨脳底動脈のC7、T1の横突起（棘突起でもよい。P73参照）の横V字椎間刺鍼が脳循環の賦活につながったと考えられます。

それと眼科処置は、眼の周辺の血流量を増やし、また筋緊張を解いていったので、これも好転へつながったと思います。閃輝暗点は中枢性の光視症に含まれるようです。中枢性の疾患が、これらの処置で改善回復してきたということは、鍼灸治療の可能性が広がっていくのではないでしょうか。

高齢にもかかわらず、車で1時間以上かかる所から、彼は3診まで週2回、4診以降は週1回、きちんと来てくれました。この患者の真面目な性格が治させたともいえます。治療の回数を重ねるごとに、前よりいっそうお喋りになっていきました。

CASE 06

石膏のような頚部回旋不能

【女性・73歳・無職】

彼女は、若いときからスポーツ万能で、年には関係なく、今でも卓球、ダンス、ストレッチ体操、コーラスをしていました。1週間の予定は、ほぼそれらで埋まっていました。その上、時々同窓生と旅行を企画して、先頭に立って行動していたようです。

後になって、自信家で頭の回転が速く、聡明そうな印象を持ったのですが、友人の紹介で当院に来たときは何も語らず、無愛想な感じでした。昨日から突然、頚が回らなくなって、にっちもさっちもいかない。あまりの症状のひどさに、愛想も何もなかったのでしょう。

●主訴　頚が動かない。

●現病歴　昨日から突然、頚が回らなくなる。これほどひどいのは、今まで経験したことがないという。その前に咳、くしゃみが出ていた。昨年の夏、身内の初盆の準備で忙しく、また来客が多くて、疲れが溜まっていた。家族は自分のみで、スポーツや習い事が好きで、先ほど挙げた習い事などをこなし、忙しい毎日を送っていたようだ。

●既往歴 以前、腎炎を患い、病院の治療が効かず、断食で治した。それ以来、西洋医学をあまり信用していない。

●所見 脈は弦やや数。胸鎖乳突筋から僧帽筋にかけてガチガチに硬い。天牖に圧痛あり。体型は小柄。症状がひどいせいか、必要なことしか喋らない。

●処置 ①扁桃処置、②筋緊張緩和処置、③横V字椎間刺鍼、④帯脈処置。

●経過 **2診**（2日目） 術後、症状にほとんど変化がないとのこと。けげんに思って「これだけして少しも変化がないということは、余程無理をしてますね」と聞くと、今行っている習い事等を淡々と話してくれた。「思いだけで身体を引っ張ってきましたね。これは身体の叫びですよ」と彼女の頚に手を当てながら話す。処置は初診と同様に行う（スポーツなどの習い事を控えるように指導）。

3診以降も同様の処置を続けた。

3診（5日目） 頚は少しずつ左に回り出す。右はビクともしない。

4診（7日目） だいぶよい。頚が両側に回り出す。胸鎖乳突筋緊張が少し緩んできた。脈も弦から緊に変わっている。

6診（12日目） かなり頚が回り出す。左右前後、可動域が広がった。

7診（15日目） 脈は緊、数なし。眠りもよくなっている。この時点で7〜8割方よくなっていた。

これ以降、治療を週1回のペースとして、健康管理を兼ねて、その3カ月後から隔週にした。そしてこの頃から、「卓球やコーラスもそろそろしてもよいですよ」という。

この患者が最初、入ってきたときは頚が石膏で固定されているのかと思うほどの姿でした。胸鎖乳突筋や頚部の諸筋がコチコチで、これはかなり難症だなという印象をもちました。脈が弦やや数ということは、痛みや不安で自律神経がかなり不安定になっているということです。弦は自律神経の中枢（視床下部）にも症状を及ぼしているということであり、胆経異常も起こしており、帯脈処置や筋緊張緩和処置が必要でした。

彼女は若いときから身体を動かすことが好きで、スポーツ万能です。そのため、自分の身体を過信していたのでしょう。「勝つことばかり知りて、負くることを知らざれば害その身に至る」という諺ではありませんが、健康ゆえに自分の思いだけが先行して、自分の身を顧みていなかったのです。頚のコチコチは、身体が発した警告であり、生活の結果だったのです。

心と身体は相互に関係し合って、一体のようですが、実は別物でもあります。患者にそのような認識を持っていただきたいと思っています。

CASE 07

交通事故後遺症による神経根型頸椎症

【女性・55歳・主婦】

この患者は、意気消沈した姿で夫に連れられて入って来ました。交通事故に遭って、治療したけれどもまだ治りが悪いようで、聞けばむち打ち症だといいます。

交通事故による頸椎症は、通常、3つに分類できます。最も軽いのは、主に頸や肩に痛み、こわばり、違和感の出る捻挫型頸椎症。その次が頸肩から上肢の痛み、知覚異常を呈する神経根型頸椎症。これは頸椎の椎間孔から出て、上肢に伸びている神経が上下の頸椎に挟まれるために起こります。3つ目は脊髄型頸椎症で、症状が上肢のみならず歩行障害や膀胱・直腸障害にまで及ぶことがあります。脊髄型は鍼灸の不適応になります。

彼女の被ったむち打ち症は、鍼灸で治せる神経根型でした。

●主訴

左頸部から指先にかけての痛み、しびれ。

●現病歴

5カ月前、自動車に乗っていて後方の自動車におおよそ40kmの速度で、ほぼノーブレーキ状態で追突された。助手席（バックミラーで後ろを見られない）に座っていたため、衝撃がひどく、頸から肩、腰が痛み出す（特に左側）。整形外科のレントゲンでは、頸椎狭小が認められた。3カ月入院して、けん引、ホットパック、薬剤等の治療を受けていたが、効果が芳しくなく当院に来院した。

●所見

脈は緊数。左中注に強い圧痛あり。右天枢にも圧痛を認める。手足の火穴には強い圧痛あり。頭部瘀血あり。左胸鎖乳突筋やや硬化。腹部・頭部の瘀血反応が強く出ており、交感神経過緊張状態を呈している。

●処置

①扁桃処置、②頭部・腹部瘀血処置、③自律神経調整処置、④肺実処置、⑤左側の帯脈処置、⑥左陽輔・外関。

施灸は、左中封、左尺沢、復溜、手三里、左陽輔、左外関に行う。

●経過

3診（7日目）　左肩甲部から前腕にかけてのしびれがだいぶよくなる。「眠りもずっとよい」とのこと。脈の緊は和らぐ。身体が軌道修正の方へ向いた。

6診（18日目）　左肩から上肢にかけて、ずいぶんよい。脈は緊、数が緩む。

9診（27日目）　脈の緊、数はほとんどなし。右天枢、左中注、左大巨に圧痛あり。火穴やや圧痛あり。天髎にも圧痛を認める。しかし、圧痛は全体的に薄らいできた。

28診（95日目）　肩が9割方よいという。処置が減り、扁桃処置、自律神経調整処置、瘀血処置、帯脈処置だけとなる。

この患者は、先述したように神経根型頸椎症でした。整形外科のレントゲン検査でも、神経根を圧迫している脊椎狭小が認められていました。3カ月入院して治療を受けましたが、治らなかったのです。

長野式の診察は、身体のさまざまな情報をすくい上げていきます。もっといえば、身体の声を聞いていきます。その声が、脈状の緊、数であり（痛みを意味し、未だに進行している）、腹証の中注の強い圧痛（腹部瘀血が著明に出ている）、右天枢の圧痛（肺、気管、のどの反応）、火穴の強い圧痛（まさに交感神経過緊張状態を意味している）、つまり、これらの診察の所見は患者の治癒を阻害している要因になっていたのです。これらの要因あるいは身体の声に応えたがために、身体が修正されていったといえるわけです。

CASE 08

趣味が高じた後の耳閉塞感

【女性・60歳・主婦】

彼女はパソコンが趣味で、友人・知人からの依頼で、チラシや資料などを熱心につくっていました。それが限度を超してしまうと、どのような弊害が身体に起こってくるのか。本症例はそういうケースです。

●主訴　左耳閉塞感。

●現病歴　以前より疲れると耳閉塞感が出ていた。今回は、10日くらい前から、ひどい耳閉塞感が発現。全身の節々が痛む。ＲＡ検査は陰性。風邪を引くと、膝関節痛、股関節痛が出ることがある。花粉症持ちである。現在、薬は服用していない。眠りが悪く、めまいやこめかみ痛もある。3年前に閉経。

●既往症　15歳で関節リウマチ。出産は帝王切開。

●所見　脈は弦。腹証は圧痛なし。行間、天牖、陰陵泉に圧痛あり。性格的には明るく、外向的である。

●処置　①扁桃処置、②骨盤鬱血処置、③アレルギー処置、④肝経気水処置（肝経の気水穴を使う）、⑤帯脈処置。

●経過　**2診**（**5日目**）　聞こえはよいが、耳閉塞感が両方出てきた。花粉症もある。パソコンが好きだし、ある程度できるので、チラシを頼まれ、根を詰めて行う。扁桃処置、骨盤鬱血処置、アレルギー処置、帯脈処置を行う。内ネーブル4点には皮内鍼を留める。曲池、復溜に施灸。

3診（**38日目**）　だいぶ耳閉塞感がなくなってきた。しかし、まだ多少響く。

筆者のアドバイスを聞いてくれたのか、パソコンの時間を3分の1に減らす。くしゃみがあまり出ない。花粉症は以前よりもずっとよいという。前回と同様の処置を行う。

4診（53日目） 3診から治療間隔が空いたのは、体調がよくなり仕事が忙しかったため。今はパソコンをほとんどしていないという。耳閉塞感は消退している。今日は腰痛で来たという。脈は浮、緊やや数。扁桃処置、骨盤鬱血処置、アレルギー処置、帯脈処置を施す。これ以降、耳閉塞感ではなく、腰痛の治療が始まる。

この患者の特徴は、弦脈に集約されていました。この脈は緊より強く、神経疲労が顕著で、病が深層部まで入り、肝胆の実証を意味します。

パソコンは趣味の域を超えていて、人から依頼されると断れない性格の上に、頑張り屋さんときています。そのため、眼の酷使から頚肩の緊張・こわばり、神経過敏状態が続き、疲労の蓄積から、免疫力の低下で風邪を引きやすくなり、当然耳にも影響があります。また、既往症の関節リウマチが軽度に再発していました。

それと更年期障害も重なっていたと考えられます。これらの反応は脈状以外でも身体に出ていました。行間の圧痛は、眼の酷使による肝経実を表しています。天牖は扁桃の状態を示します。陰陵泉の圧痛は、めまいも伴っており、心労による心因性の骨盤鬱血症も起こしていました。

まず、治療をする前に、本人に今の身体の状況をわかりやすく説明します。これは患者が納得し、安心させるためです。実は、これだけで半分は治っているようなものです。所見に従って治療をしていきました。4診目のとき、脈は弦が取れて緊になっていました。パソコンに関わる時間を減らしたので、眼の疲れが取れて、神経疲労が減り、この脈の変化になったものと思われます。

脈がわかるということは、見えないものが見えてくることになる、といえばいい過ぎでしょうか。

CASE 09

やっと当院まで辿り着いた腰背痛などを伴う全身倦怠の婦人

【女性・56歳・養殖業】

この患者との出会いは衝撃的でした。それまでももちろん、筆者は気の存在や瘀血の病証は信じていましたが、彼女の治療でその存在を見せつけられ、一層、強烈な印象を筆者に与えてくれたのです。

彼女の魚の養殖という仕事は、「生きものを相手にしていますから、休むことができない」といいます。数年来、腰背肩腕の痛みやだるさで、転医加療するも、症状は取れずに全身倦怠が強いようでした。家族の勧めで当院に来院されたのです。

●主訴 背腰部、両肩から上腕にかけて痛み、重だるさが全身に及ぶ。

●現病歴 2年前から肩甲骨内縁から上腕にかけて痛み、その後、左の第3指、第4指にしびれ、右の第3指から第5指にかけてのしびれ。両下肢もだるく、坐骨神経痛もある。寝つきが悪い。夜になると咳込む。頭痛持ち。閉経は48歳。現在、更年期障害の薬（エストロゲン製剤、精神安定剤、自律神経調整剤、加味逍遥散等）を服用中。転医加療をしてきたが、あまり効いてない。

●所見 脈は弱、短、やや緊。腹部全体が硬化。尋常ならざる硬さである。中注、気海、右天枢に圧痛あり。火穴には圧痛なし。やや頭部瘀血あり。生気がなく、疲労困憊状態である。

●処置 ①強心処置、②扁桃処置、③腹部・頭部瘀血処置。
※脈で弱短が打っているときは、最優先してまず強心処置を施すのが鉄則。

●経過 **2診**（**4日目**） だいぶ身体に力が入ってきた。あまりきつくない。まだ、両肩から上腕にかけて痛み、殿部痛もある。脈はやや弱、短。腹部はかなり軟らかくなっているし、圧痛はあまりない。強心処置、扁桃処置、瘀血処置、帯脈処置を施す。左魄戸、左膏肓に皮内鍼固定。

3診（38日目）忙しくて治療間隔が1カ月空いた。疲れが溜まり、食欲がない。肩から上腕が痛む。脈は弱、短。腹部は全体に圧痛あり。左中注、火穴、天牖にも圧痛あり。強心処置・扁桃処置・瘀血処置・自律神経調整処置・帯脈処置を施す。

4診（42日目）身体の重だるいのが、だいぶ楽になってきた。食欲は少し出てきた。左肩から上腕にかけて痛みあり。脈は沈遅（弱短からこの脈に変化）。右天枢、左中注のみに圧痛あり。扁桃処置、副腎処置、瘀血処置、帯脈処置を施す。

5診（56日目）全体的にだいぶよくなってきた。眠りもよい。4診目以降、精神安定剤は服用しなくても眠ることができるようになった。右肩痛、腰痛あり。脈は沈遅。扁桃処置、副腎処置、帯脈処置を行う。京門、左魄戸、左膏肓に皮内鍼固定。

8診（105日目）全体的にずっとよくなっている。薬は飲まずに眠ることができる。肩こり、腰痛あり。脈は沈、遅。右天枢、行間に圧痛あり。他の圧痛は消失。扁桃処置、副腎処置、肺実処置、肝経気水穴処置、帯脈処置を施す。

自営の養殖業が忙しく、その上、遠方（車で3時間）なので、頻繁には来院できないが、その後も継続して治療し、今では家族全員が来院してくれている。

まず、脈状の弱短は疲労困憊、全身倦怠、虚血性心疾患状態を意味します。王叔和の『脈経』には、「極めて軟にして沈、細これを按ずれば指下にて絶せんと欲す」とあります。ほとんど触れていない弱々しい脈を指しています。

先述したように、この脈が出ていれば、最優先で強心処置を施さねば、いくら他の処置をしても効果が薄いのです（P52参照）。

この患者のお腹が硬かったのは、「気というのはその性質上、発散と凝集を繰り返していけば、気体→液体→固体になってくるといわれている」（山田慶兒、『中国医学はいかにつくられたか』）という記述で説明できると思います。この患者は、経営者として極度に神経を使い、つまり気を使っていたために、気が滞って、血流も悪くなり、それが高じてお腹が塊のごとく、固体のようになったのではないでしょうか。

しかし、この塊は1回の処置で軟化していきました。これは腹部瘀血処置の効果であり、この処置を施すことによって、瘀血塊の流れがよくなり、気の偏重も修正されていったと考えられます。**気と血は、不即不離の関係であるというのがよくわかります。**

CASE 10

灸をし過ぎてかえって悪くなっていた変形性膝関節症

【女性・80歳・無職】

この患者は、少し悲痛な顔をしながら、診察室にゆっくり入ってきました。彼女の仕事は、農家で野菜をつくり、それを行商して歩くというものです。かなり重たいものを毎日抱えて、遠方まで売りに行っていた、といいます。

そういう仕事を何十年もやってきたために、O脚になり、完全な変形性の膝ができ上がっていました。この地域からは、患者が何人も来ており、比較的治りがよかったのです。そのこともあり、彼女の悲痛な表情は、たぶん晴れるだろうと思いました。

●主訴　1年以上前から抱えている膝痛。

●現病歴　これまで、膝の水は何度も抜いた。両方の内側半月板がすり減っているO脚(内反変形)を呈している。某鍼灸院で灸をすえていて、膝の皿いっぱいに灸痕がある。その数は、20以上。膝の身になればたまったものではない。そのため逆にひどくなり、歩く姿を見ていた近所の人から、当院を勧められて来院する。

●所見

脈はやや洪。腹証、火穴ともに圧痛なし。膝関節は完全なO脚で、熱・腫れはまったくない。膝関節の内側・外側に圧痛あり。大腿四頭筋、大腿内転筋や膝周辺の靭帯が委縮している。半月板が相当すり減っているのだろう、やっと歩いている感じだ。

●処置

①扁桃処置、②骨盤部仙骨神経叢刺鍼、③膝関節局所の結合組織活性化処置、④左右の膝6点（図3－1）に施灸（P178参照）。自宅でも施灸するように指導。曲泉（内側側副靭帯の強化）、膝傍（外側側副靭帯、腸脛靭帯の強化）に刺鍼雀啄。

●経過

3診（**16日目**）　自宅で膝6点に灸はすえているとのこと。歩くのはいくらか楽で

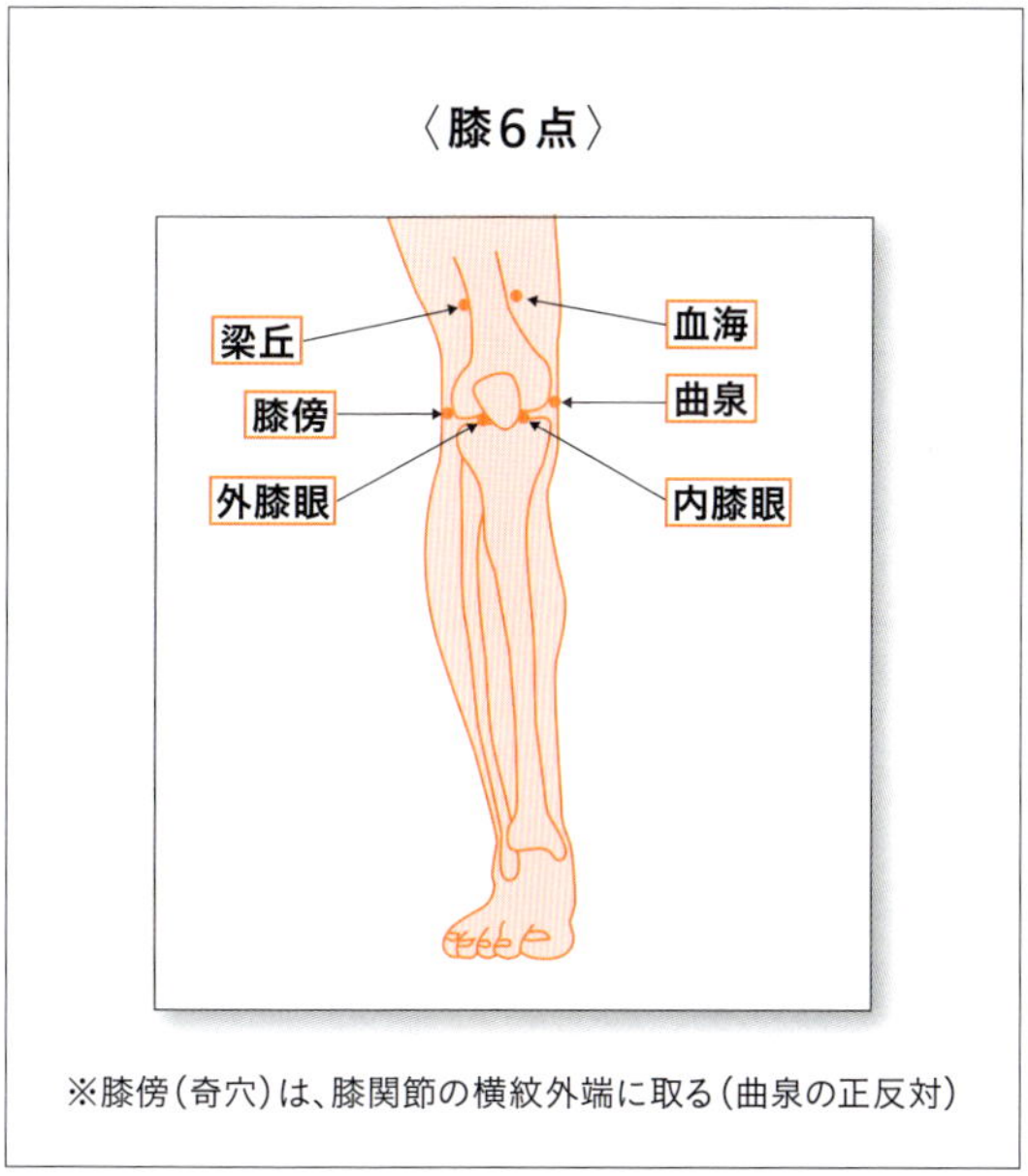

※膝傍（奇穴）は、膝関節の横紋外端に取る（曲泉の正反対）

図 3-1

あるが、まだ杖をついている。
4診（28日目）立ち上がりが楽になる。脈はやや洪。
6診（69日目）「だいぶ歩きやすくなってきた。人から速くなったね、といわれた」とのこと。膝6点への施灸は継続。
9診（189日目）「畑仕事ができ出した。普段の生活には困らなくなった」とのこと。その後も定期的に灸位置の確認や治療を行っている。

この患者は、灸の過剰刺激のため、逆に膝を悪くしてしまっていました。施灸は、痛い部位にすえればよいということではなく、ポイントがあります。熱・腫れのない長期の変形性膝関節症には、まず膝4点（内膝眼、外膝眼、血海、梁丘）への施灸が必要です。この患者は高齢であり、大腿四頭筋や靱帯が萎縮していたので、曲泉、膝傍も加えて膝6点にしました。
また、半月板の摩耗には、整形外科ではヒアルロン酸関節内注射などを打つようですが、これは関節の修復や滑りをよくするだけで、軟骨（半月板）を再生するものではありません（軟骨にはほとんど血管や神経がない）。そのため、これが効かないときは手術を勧めるようですが、長野式治療はそこの観点が違います（価値の優劣をいっているわけではない）。膝周辺の筋肉、靱帯を強化していくのです。そのための、膝4点あるいは膝6点になるのです。

CASE 11

若いために無理がたたった難病後の腰背部痛

【女性・27歳・大学職員】

音楽大学の声楽科を出て、専門的に勉強をしていましたが、突然、原因不明の病気で、身体が思うように動かなくなり、やむなく、郷里に帰ってきました。しかし、声楽の夢は捨て難く、練習に励んでいたときに、つらい腰背部痛が出てきたのです。

●主訴

腰から肩背部全体にかけて痛い。

●現病歴

1カ月前に腰痛、その後、背中から肩にかけて痛みが広がる。長い間、合唱をやっており、週3回くらい練習がある。現在、眠りが悪く、睡眠薬（レンドルミン）や解熱鎮痛剤、抗うつ剤も使用している。アレルギー体質でもある。

●既往症

2年前に突然、右殿部から下肢にかけて麻痺が出た。本人は、地方の有名音楽大学を出て、将来を嘱望されて東京でレッスンを受けていた矢先だったので、無念やるかたない気持ちで田舎に帰ってきた。そして治療に専念した。まだ完全ではないが、今は右下肢の末梢神経の麻痺、知覚過敏がある。精神的な落ち込みは未だに引きずっており、抗うつ剤が処方され、今も服用している。

●随伴症状 立ちくらみ、イライラする、後頭部が重い、手足の冷え、生理痛。

●所見 血虚、いわゆる冷え性の脈を呈している。右天枢、天髃に圧痛あり。胸鎖乳突筋の両側にやや緊張あり。糖分過剰気味の体質(皮膚を触るとこの体質特有の手にくベトベト感あり)。年齢の割には落ち着いており、ほとんどうつを感じさせない。

●処置 ①扁桃処置、②骨盤虚血処置、③肺実処置、④帯脈処置。

●経過 **2診**(4日目) 腰背部の痛みは軽い。歩行時の痛みも和らいだ。前回と同様の処置を行う。

3診(11日目) 腰痛消失。背中の張りはある。脈の血虚があまりない。耳下リンパ節のコリコリした感触を認める。

4診(16日目) 腰、背部ともよい。頚肩痛はある。脈は血虚ではないが、やや緊。 右下肢の痛みが気になる。この頃、正座はできなかった。

8診(46日目) 九州大会のコーラス(グループ)部門で優勝して、全国大会へ。脈は再び血虚が出ている。かなり疲れているようだ。

10診(60日目) のどが痛い。頚肩のこりあり。近頃練習がハードで、コーラス3団体に入っており、「団体での練習は立ちずくめできつい」という。

13診（81日目） 腰痛はだいぶよくなり、下肢も軽くなっている。正座ができるようになった。扁桃処置、骨盤虚血処置、帯脈処置を行う。
忙しくなったので、治療間隔が少し空き出したが、その後は身体のメンテナンスで治療を継続している。以前と比べて表情が明るくなっている。

この患者は若いこともあり、効きめが早かったです。今まで鍼をしたことがなかったので、納得がいくように症状や処置をわかりやすく話していきました。実際、治療を続けていくうちに治っていくため、本人は自然と信頼してくれます。

彼女の証は何だろうと考えたとき、やはり血虚がまず引っかかります。自覚症でも冷えを訴えています。それと扁桃の反応、天牖と右天枢の圧痛。そして耳下リンパ節のコリコリとした感触もそれを裏付けています。彼女の腰背部痛の背後では、その治癒を冷えと扁桃が邪魔していたといえます。

このようなとき、目の前の症状のみを相手にしている対症療法では心もとありません。**長野式治療は、治るのを阻害（この場合、冷えと扁桃）している要因に気づかせてくれ、そしてそれに対する治療法が用意されているのです。**

CASE 12

長年の合唱練習による腸骨鼡径神経痛

【女性・64歳・主婦】

この患者も、コーラスから来た痛みです。手術が嫌で、意を決して当院にやってきました。鍼をしたことがなく、半信半疑だったようです。

●主訴

半年前から、右鼡径部から右大腿部、右下腿部にかけて痛む。

●現病歴

コーラスを20年以上やっており、3つのグループをかけ持ちしている。そのため練習時間が長く、その間、立ちっぱなしである。半年前から前記の症状が出現。2、3年前に腰痛を患ったことがある。今回、レントゲン検査では特に異常はなかったが、治りが悪いので、医師から「近いうちに手術になるかもしれません」といわれる。手術が嫌で、人に勧められて来院。薬は服用してない。寝るときに右下肢を伸ばせない。

●随伴症状

足の冷え、頭痛、耳鳴り。

●所見

脈はやや緊。中注、右天枢、陰陵泉に圧痛あり。胸鎖乳突筋の緊張あり。鼡径部の圧痛あり。

●処置

①腹部瘀血処置、②下垂処置、③扁桃処置、④筋緊張緩和処置、⑤帯脈処置。

●経過

2診（**6日目**）前回の治療以降、まだ痛む。右大腿は冷えが強い。三陰交、内関、中封に施灸。家でも施灸するように指示。

3診（**23日目**）昨晩から、足を伸ばして眠れるようになった。治療間隔に少し間があったが、好転したから再度、来院する気になったのだろう。練習は週1回、3時間程度に減らす。

4診（**26日目**）幾分、楽になってきている。十分に足を伸ばせるようになってきた。脈はやや緊。前回の治療と同様の処置を行う。

6診（**40日目**）この1週間よかった。痛みがあまりない。7割方減少している感じ。台所仕事ができるようになる。扁桃処置、下垂処置、帯脈処置を行う。

7診（**48日目**）股関節がこわばってぎこちない感じが以前あったが、今はない。

8診（**54日目**）痛みがだいぶ限定されてきた。「今は右殿部と右腰。全体の痛みは8割減少」という。

10診（**75日目**）ずっと調子がよい。「週1回のコーラスの練習が楽しみだ。ほぼ痛みは消失している」とのこと。

長年のコーラスによる立ち時間の長さからくる神経痛で、考えられるのは、腸骨鼡径神経痛です。立ち時間が長いと腹圧が弱くなってきて、内臓下垂を起こすことがあり、その反応点が鼡径部です。坐骨神経痛も多いですが、意外と婦人の神経痛で見落とされているのがこの神経痛なのです。

また、コーラスの練習という緊張状態を長く強いられ、そうなると胸鎖乳突筋の緊張にもつながり、その上、冷え性で血流が悪くなり、瘀血も呈してきます。右側に症状が出たのは、おそらく無意識のうちに右側に重心がかかっていたのかもしれません。

治癒への道は、まさにこれらの阻害要因を取り除くことで、6カ月間苦しんだ痛みが、2カ月半という短期間で治ったのです。**所見によってどのような処置を行えばよいかは、常に患者の身体が教えてくれるのです。**

Nagano-Method
Acupuncture Treatment

4 章

分野別各疾患処置

引き出しとして

長野式治療は、所見に沿って処置を施していくのが大原則になります。本章でこの所見以外からの処置を取り上げるのは、いくつかの理由があります。

まず1つは、初心者でまだ経験が浅く、所見を取ることに自信のない治療家には、個別処置として活用してもらうためです。また、ベテランの治療家には、引き出しを増やし所見に追加して、処置の選択の幅を広げてもらうというねらいがあります。

本章の構成は、全体を「運動器／リウマチ科」「神経内科」「心療内科」「循環器科」「呼吸器科」「消化器科」「代謝・内分泌科」「泌尿器科」「婦人科」「耳鼻咽喉科」「皮膚科」の11分野に分け、長野式治療で著効のあった疾患を取り上げています。

個別処置では、雀啄や留鍼を主に使うことになります（刺鍼方法の記載がない場合、基本的には雀啄となります）。頑固な症状や慢性化した症状には、長めの留鍼をしていくことがあります。

これら個別処置がすべて正解というわけではありません。1つの指標として、活用していただきたいと思います。

1 運動器／リウマチ科

①五十肩

概要

五十肩は、肩関節の周りにある組織の変化や、炎症などによって痛みが出ます。肩関節周囲の棘上筋、棘下筋、肩甲下筋、小円筋は回旋筋腱板を構成し、上腕骨大結節に付着しています。年齢とともにこの回旋筋腱板の炎症が起こりやすくなり、痛みや運動制限が起こってきます。

臨床ポイント

●胸鎖乳突筋の緊張を必ず診ることが大事です。緊張があれば、丘墟・上四犢の筋緊張緩和処置を施していきます。

●次の障害には、当該筋肉の結合組織活性化処置が必要になってきます。

五十肩の外転障害…三角筋、棘上筋（主に起始部、以下同様）。

内転障害…大円筋、小円筋、広背筋。

屈曲障害…三角筋。

伸展障害…三角筋、大円筋、広背筋。
外旋障害…棘下筋、小円筋。
内旋障害…肩甲下筋、大円筋、広背筋。

●五十肩ではない腱板断裂、石灰沈着性腱板炎は、鍼灸の不適応になります。

処置

扁桃処置、脊柱起立筋緊張緩和処置、筋緊張緩和処置、横V字椎間刺鍼（C4～T1）、帯脈処置、結合組織活性化処置。特に橈側手根伸筋群起始部、棘下筋および三角筋起始部の筋緊張を除去します。

②むち打ち症

概要

自動車の追突を受けた場合、頚は後方に反ります（過伸展）。次にその反動で、頚が前方に振られ、過屈曲します。

前方の自動車への衝突はこの逆になります。ともに頚椎の関節が損傷を受けます。その損傷の程度の違いから、捻挫型、神経根型、脊髄型に分けられます。鍼灸の適応は、捻挫型、神経根型です。

臨床ポイント

●解渓や内陰（奇穴）の刺鍼は効果があります。内陰は、平田十二反応帯の小腸区に該当します。それと、三焦経の中渚も効果があります。これも小腸区に当たります。解渓は反応帯では肝区になります。

処置

瘀血処置（反応があれば頭部瘀血も）、自律神経調整処置、陽輔・外関、帯脈処置（3章症例7：P155参照）。

③テニス肘

概要

上腕骨外側上顆炎の通称で、テニスの愛好者ではない中年の女性にも見られます。外側上顆の腱付着部の炎症です。

臨床ポイント

●肘の屈曲は、上腕骨外側にある上腕二頭筋が主に働きます。肘の伸展は上腕三頭筋です。

この上腕三頭筋に関与している大円筋、小円筋といった肩甲骨外側から下面の結合組織の硬化があれば、これを緩和していくことも重要です。

処置

横V字椎間刺鍼（C5〜7）、瘀血処置、結合組織活性化処置（上腕二頭筋、上腕三頭筋付着部）。

④変形性膝関節症

概要

膝関節を構成する大腿骨、脛骨、膝蓋骨の骨や軟骨に、慢性の退行性変化や骨棘変化が起こり、膝関節に炎症が生じる疾患です。

臨床ポイント

●膝に水が多量に溜まっているときは、まずは病院で抜水してもらいましょう。その後は、できるだけ施灸をした方がよいです。膝4点あるいは膝6点に施灸します。それによって水が溜まりにくくなります。関節滑膜の血管からの水分の分泌・吸収のバランスが元に戻ってくると考えられます。

●膝に熱・腫れがあるとき…胃の気3点処置や商丘・陰陵泉の刺鍼、施灸。

●膝に熱・腫れがないとき…膝4点（血海、梁丘、内膝眼、外膝眼）あるいは膝6点（曲泉、膝傍を追加）に刺鍼、施灸。

●膝関節に作用する筋肉の多くは、骨盤から起こっています。大腿四頭筋の起始部は腸骨棘や寛骨臼であり、大腿二頭筋のそれは坐骨結節です。前者は、大腿神経（腰神経叢）、後者は坐骨神経（仙骨神経叢）の支配を受けます。そのため、骨盤部の刺鍼やL2〜L4の横V字椎間刺鍼が必要になってきます。

処置

扁桃処置、筋緊張緩和処置、腰神経叢・仙骨神経叢刺鍼、帯脈処置、膝に対する施灸（3章症例10：P164参照）。

⑤腰痛症

概要

腰部の骨や筋肉、結合組織、筋膜の侵害受容器が刺激されて生じる痛みですが、近年、その原因は心因的な非侵害受容性のものが多いということがわかってきて、従来の特異的腰痛より非特異的腰痛が主役になってきています。

臨床ポイント

●腰椎の変形・分離・すべりの異常、仙腸関節等の圧痛、腰腸肋筋の硬化を診ていきます。

●ギックリ腰は程度によって、腰椎・腰部諸筋の捻挫、背筋・靭帯や椎間関節の損傷、肉離れ（筋断裂）があり、筋断裂は鍼灸の不適応になります。

●前屈で痛みが強くなり、下肢のしびれもあって、ラセーグ検査が陽性の場合は、椎間板ヘルニアの疑いが出てきます。

●前屈よりも後屈が痛いときは、腰椎分離症・腰椎すべり症や椎間関節症の疑いがあります。

●慢性でしつこい腰痛は、家庭環境や職場環境などが複雑に絡み合って起きていることもあります。

●概ね、低血圧で肩や腰の筋肉が全般的に硬く、性格が神経質な人の腰痛は、治りにくいため注意を要します。

処置

筋緊張緩和処置、結合組織活性化処置、血管運動神経活性化処置、血糖値調整処置（2章Q&A95：P122、P202参照）、帯脈処置（P82参照）。

⑥関節リウマチ

概要

自己免疫疾患で、全身の関節に起こる慢性の炎症性疾患です。女性に多く、関節のこわばり、自発痛・運動痛や腫れを呈し、進行すると関節の変形や強直をきたしてしまいます。

臨床ポイント

●関節リウマチの脈は洪を打っていることが多いです（特に左寸口）。この脈を打っていない関節痛は、リウマチではない可能性があります。

●副腎処置は、洪脈（心実）に対して、拮抗作用のある腎経を使うことで、これを抑えていきます。

●関節リウマチのタイプは次の3つに分類できます。

①多周期型…寛解と悪化を繰り返しながら、徐々に進行するタイプで、全体の約70%を占めるといわれています。

②単周期型…発症後、しばらくは関節炎がみられますが、半年から1年くらいで症状が軽くなり、関節の破壊はほとんど起こりません。

③急性進行型…これは発病後、急速に炎症が進行して1年も経たずに関節の変形・強直が

みられます。いわゆる悪性リウマチで、全体の0・1〜1%くらいの割合を占めるといわれています。

鍼灸の適応は①と②のタイプです。

処置

照海（復溜）・兪府、関元、小腸兪、陽陵泉、丘墟・上四瀆、扁桃処置、帯脈処置（3章症例4：P145参照）。

2 神経内科

⑦頭痛

概要

脳は神経組織の塊ですが、痛みを感じるセンサーが脳実質にはありません。痛みを覚えるのは、頭蓋骨の中の、血管と脳を包んでいる髄膜、それと頭蓋骨の外側の皮膚、筋肉、筋膜、頭の周りの血管などです。これらの痛みを頭痛として感じるわけです。

臨床ポイント

●重篤な頭痛の鑑別…頭痛が突然現れて、今まで経験したことがない痛みを覚える。特に50歳以上になって、初めて現れた激しい痛み。頭痛以外の症状で手足のしびれや脱力感、麻痺、ふらつき、吐気、項部硬直、視力障害、会話や記憶障害などがあれば要注意です。専門医の受診を勧めたほうがよいでしょう。

●頭痛の中で最も多いのが緊張型頭痛で、後頚筋、側頭筋、僧帽筋などのこりや張りが自律神経および知覚神経の痛みの信号として発され、それが頭痛になります。

●頭痛の脈状は洪緊数や細緊数、細緊遅が多いようです。

●痛みの悪循環は次のようになります。

疲労によるこり、緊張→交感神経緊張→血管収縮で血流障害→筋肉の酸素欠乏状態→乳酸等の老廃物や発痛物質増加→こり、緊張

●頭痛の誘因となるのは、ストレスや睡眠不足、生活習慣の乱れ、職場環境、気温差などですから問診はていねいに、慎重にする必要があります。

処置

自律神経調整処置、頭頂部血流促進、椎骨脳底動脈促進処置、腰兪、上髎・次髎、第三趾裏横紋、気海。

⑧坐骨神経痛

概要

坐骨神経は、身体で最長の末梢神経です。坐骨神経の下部は腓骨神経と脛骨神経に分かれ、大腿後面から足部にかけて広い範囲に分布します。坐骨神経痛は坐骨神経そのものの障害によって生じる痛みです。分類でいえば、非侵害受容性の神経障害性疼痛になります。

臨床ポイント

●椎間関節の狭小を診ます。坐骨神経痛は、L４、L５以下で生じます。
●ラセーグ検査は、坐骨神経の伸展圧迫刺激を診ています。
●坐骨神経痛の背景に、慢性扁桃炎や腹部瘀血が関与していることがあります。これらの一次的疾患を坐骨神経痛の処置と並行して治療していかなければ治りません。

処置

扁桃処置、瘀血処置、脊柱起立筋緊張緩和処置、坐骨処置、患側の仙骨神経叢、殿部圧点、承扶・殷門・委中・飛揚・崑崙。

⑨肋間神経痛

概要

肋間神経は胸髄から出て、胸腹に分布する末梢神経で、12対あります。上部は7対で胸骨に向かって伸び、下部5対は前下方に伸びています。この肋間神経が痛むのを肋間神経痛といいます。

臨床ポイント

●胸腹部に、不定期に持続的で限局した痛みがある場合、肋間神経痛の疑いがあります。
●肋間神経は真性と症候性に分けられます。真性は3カ所の特異的な圧痛点(肋間神経痛特異的圧痛点)を有します。脊柱の傍ら(後皮枝)、腋下部(外側皮枝)、胸骨側または腹直筋傍ら(前皮枝)の3カ所です。これらの圧痛点は、皮神経の出現する場所に相当します。症候性は肋骨・脊椎疾患や、がんなどによる神経障害、大動脈瘤の圧迫、脊髄腫脹などの圧迫・癒着などによって起こります。

処置

脊柱起立筋緊張緩和処置、横V字椎間刺鍼(罹患している神経の椎骨に対して)、罹患肋間神経の前皮枝・外側皮枝・後皮枝に皮内鍼固定。

⑩腸骨鼡径神経痛

概要

腸骨鼡径神経はＬ１から出て、腰椎の前下方を走り、腹壁から鼡径管を通り、鼡頚部の外陰部に分布しています。腸骨鼡径神経痛は、過度の腹壁筋の負担によって、この神経が障害されて、この神経に沿って痛みが出る症状をいいます。

臨床ポイント

●発症側の尺中の脈が沈んでいる、いわゆる、前浮後沈あるいは尺落を示していることがあります。これは内臓下垂を呈していることを意味します。

●この疾患は、更年期以降の婦人で、下腹部を手術した人、多産の人、内臓下垂体型の人に発症しやすい特徴があります。つまり、腹壁筋が弱い人に多いようです。

●患側の鼡頚部、気戸に圧痛が出やすいです。

処置

遅脈の場合…患側の京門、生辺、大腸兪、気戸、天髎に雀啄刺鍼。皮内鍼は京門と気戸に留めます。

数脈の場合…患側の復溜、足三里、伏兎、風市、郄門、気戸（3章症例12：P170参照）。

⑪手根管症候群

概要

正中神経が手関節の手掌側で、手根骨と横手根靱帯からなるトンネル（手根管）の中で、絞扼（圧迫）されるために起こる正中神経障害です。女性に多く、閉経前後の婦人によく起こります。絞扼性障害の代表的な疾患です。

臨床ポイント

●手根管症候群は、靱帯などからなる手根管の中で正中神経が絞扼されています。つまり、結合組織の硬化で、横手根靱帯の持つ修復作用が阻害されて、痛みが出ています。

●手根管症候群は末梢神経障害のニューロパチーに該当し、単発性単神経炎に含まれるため、鍼灸で十分対応ができます。

●第1指～第4指の指先のしびれ・手指の痛みが出るこの疾患はレントゲンやCTには映りません。

処置

扁桃処置、患側のC4〜C6の横V字椎間刺鍼、患側の陽輔・外関、脊柱起立筋緊張緩和処置。

⑫顔面神経麻痺

概要

顔面の運動神経麻痺で、片方に出て顔半分の筋肉が動かせなくなります。目が閉じられない、口角から水が漏れるという機能障害が起こります。

臨床ポイント

●突発性末梢性顔面神経麻痺（ベル麻痺）は比較的、治りがよいです。
●顔面神経の麻痺刺激点と横V字椎間刺鍼が、非常に効果があります。

処置

扁桃処置、C7・T1・T2の横V字椎間刺鍼、丘墟・上四con、顔面神経の麻痺刺激点（攅竹、眉中、糸竹空、瞳子髎、迎香、下関、地倉、頬車など）、患側の解渓、陽渓は施灸も可。顔面神経の麻痺刺激点は施灸禁忌。

3 心療内科

⑬うつ病

概要

うつ病といってもいくつかのタイプがあります。大うつ病、単極性障害ともいわれています。この病気自体は、脳の中のセロトニン、ノルアドレナリンという神経伝達物質の減少で起こるといわれていますが、まだ十分解明されていません。

うつ病の基本的症状は、うつ気分（憂うつ感、関心の喪失感など）、悲観的な思考障害（考えが進まない、まとまらない、自分自身や将来に対する悲観的な考え方）、意欲・行動の障害（おっくうがる、集中力の低下）、身体症状（全身倦怠、不眠、めまい、頭痛、口渇、吐気、手足のしびれ、便通異常など）などです。

臨床ポイント

●比較的うつ病になりやすい性格は、生まじめで、几帳面、柔軟に物事を考えられない。しかし一方では、他人に気を使うという面もあり、メランコリー親和型性格といわれています。

●うつ病の薬であるSSRIは副作用が少ないため、急速に普及しました。しかしそのため、多剤大量処方され、かえって病気が慢性化されていきました。医師との連携で、時間をかけて減薬していくことが大切です。

処置

照海（復溜）・兪府・尺沢に15～20分留鍼。外ネーブル4点への補鍼。趾間穴、足底裏横紋中央への単刺。C7・T1・T2への横V字椎間刺鍼、皮内鍼は外ネーブル4点、C7・T1・T2（3章症例2：P137参照）。

⑭強迫神経症（強迫性障害）

概要

神経症は、精神的なものが原因で、症状もこころに発現します。この病気は、社会不適応を感じる人がなることが多いようです。強迫神経症はドアの鍵をかけたかどうか、ガス栓を閉めたかどうかを何回も確認したり、自分でも不合理だと思いながらも繰り返して、自分がコントロールできなくなり、社会生活にも支障をきたす病気です。

臨床ポイント

●この病気には、カウンセリングも必要になってきます。今の不安を不安のまま受け入れ

（受容）、身近なところから少しずつ作業をしていく（実践）ことで、「とらわれ」からの解放を図っていくのです（強迫観念の回路を崩していく）。

●うつ病の人は自分を責める傾向にありますが、神経症、特に強迫神経症の人は他人を責めることが多いようです。

●神経症も脳内の神経伝達物質であるセロトニン等の分泌不足とみられていますから、前述のうつ病の処置に準じてきます。

処置

扁桃処置、副腎処置、自律神経調整処置、C7・T1・T2への横V字椎間刺鍼（3章症例3：P141参照）。

⑮心身症

概要

精神的な要因から、身体に症状が出るのが心身症です。心身症には、過敏性腸症候群、過換気症候群、胃・十二指腸潰瘍、気管支喘息、心臓神経症などが挙げられます。社会適応では過剰適応になってきます。

臨床ポイント

●心身症の場合、身体の鍼灸に対する反応が早いという特徴があります。例えば、腹部の圧痛や火穴反応は早い段階で取れていきます。

●心身症は、精神症状よりも身体症状の比重の方が大きいです。

処置

扁桃処置、自律神経調整処置、瘀血処置（3章症例1：P134参照）。

4 循環器科

⑯高血圧症

概要

心臓のポンプで送り出された血液が血管壁に当たり、この圧が持続的に正常範囲を超えて高い状態を高血圧症といいます。収縮期血圧が140㎜HG以上、または拡張期血圧が90㎜HG以上が該当します（年齢や他の疾患の有無によって基準は変わってきます）。

臨床ポイント

●高齢者は、加齢によって神経機能や腎臓の血圧調整機能などが低下してきます。そのため、心拍に負担がかかって収縮期血圧が高くなり、拡張期血圧が低くなります（大動脈の貯めがなくなり、動脈硬化が進んでいる）。よって、高齢者には収縮期高血圧がよくみられます。

●高血圧を下げるのは、照海あるいは復溜、兪府への留鍼です。血管が拡張し、効果があります。というのは、副腎処置は、自律神経のバランスを取るため、血管の平滑筋に分布している血管運動神経の調節になるのです。

処置

数脈…照海（復溜）、兪府、外関、中封、至陽に雀啄もしくは留鍼。

遅脈…京門、腎兪、至陽、膈兪、大椎、天牖、第3趾裏横紋（数脈の場合にも使える）に雀啄あるいは留鍼。

⑰狭心症

概要

狭心症は、心臓を養っている冠状動脈に狭窄が生じ、心筋に十分な血液を送ることができなくなります。それによって心筋が一時的に酸欠や栄養不足の状態となり、胸痛あるいは胸部圧迫感、違和感などの胸部症状が出現します。

臨床ポイント

●狭心症で出やすい圧痛点は、胸骨中央左側、左心俞、左神堂、左天宗等です。

●中注、大巨や左天枢にも圧痛が出現しやすい。瘀血や肝門脈鬱血などの腹部血液循環の渋滞は心臓に大きな負担を強いています。

●肺循環も大切で心臓の血流を促進します。つまり、血中酸素濃度を高めることで、心臓の働きを活性化していきます。この処置穴は、膏肓、列欠、孔最です。

処置

扁桃処置、肝門脈鬱血処置、瘀血処置、左天宗4点（天宗の左右上下4点。心実がある場合）、列欠。

⑱不整脈

概要

不整脈は、何らかの原因で、通常（脈拍が60〜70台／分）より脈が速く打ったり、ゆっくり打ったり、不規則に打ったりすることをいいます。

臨床ポイント

●不整脈は、右心房にある洞結節や伝導路などの電気系統のどこかが故障することで起こります。

●結脈は比較的ゆっくり結滞する脈で、心気の不足を現していますが、心配のない期外収縮を意味しているようです。

●促脈は速くて、不規則でバラバラと飛ぶ脈であり、心房細動でしばしばみられます。

●心房細動のある人は心臓への意識過剰で、不安感が強く、自律神経失調症に陥りやすい傾向があります。よって交感神経過緊張を抑える照海（復溜）、兪府への処置、つまり副腎処置で徐々に症状が楽になってきます。

処置

扁桃処置、副腎処置、瘀血処置、肝門脈鬱血処置、左天宗4点（心実がある場合）。

⑲風邪症候群

概要

風邪の正式な病名で、主に鼻・のどの分泌物を伴う粘膜の炎症です。この原因のほとんどがウイルス（おおよそ400種類）ですが、種類が多すぎて、すべてのウイルスを抑える薬は現在ありません。そのため対症療法的な治療になっています。抗生物質は直接、風邪の症状には効きません。また、二次感染を防ぐこともできません。

臨床ポイント

●風邪の初期は、浮脈を打っていることが多いです。脈差では、小腸実・大腸実から肺実へと変化していきます。発熱があれば当然、数になっていきますし、症状が長引けば、遅になることがあります。

●圧痛は天牖に必発します。右天枢や魚際の圧痛も比較的出やすいです。

●風邪のときは腎経をよく使います。比較的腎虚を呈しており、身体の抵抗力を強化するために用います。扁桃7点は腎経も使っています。

●扁桃は、免疫臓器と感染臓器の二面性を持っています。普段は扁桃の免疫能が強いため、ウイルスや細菌などに晒されても（口蓋扁桃は免疫臓器の中で唯一、外部に晒されている）、これらと戦って排除し、感染は起こりません。

しかし、過労やストレス、生活習慣の乱れ、あるいはウイルスなどが強力であれば、扁桃の免疫能が低下もしくは誤作動をきたし、結果として感染が起こり、扁桃炎を発症してしまいます。ひいては二次感染として全身に広がりをみせるのです。そのため、扁桃を強化、コントロールをしていくことが重要なのです。

処置

扁桃処置（咳・痰が出る場合は太渓）、粘膜消炎処置（脾経、肺経を使う）、後渓、申脈への留鍼。

⑳気管支炎

概要

気管支炎は、ウイルスや細菌、物理的・化学的刺激あるいはアレルギーなどによる気管支の炎症をいいます。また、持続的な咳を伴う痰が2年以上続き、他に明らかな疾患がなければ、慢性気管支炎と呼ばれます。これは急性から移行したものではなく、別の疾患です。

臨床ポイント

●咳・痰を主訴とする疾患は、ただ単に、呼吸器だけを相手にしていたのでは治りません。腎・肺を中心とした水分代謝を正常に戻すことによって、消失することができるのです。

●気道系の病気は、ときに滑脈を打っていることがあります。滑脈の場合は粘膜の炎症や痰を表します。

●頑固な咳を止めるのは、Ｃ７を中心とする大椎周囲の４点の施灸と、皮内鍼では腋下点（平田十二反応帯で肺区に該当）、玉堂が効きます。

処置

扁桃処置、副腎処置、脾経の商丘・陰陵泉、肺経の経渠・尺沢、心包経の間使・曲沢。

㉑気管支喘息

概要

気管支喘息は、気管および気管支が各種刺激（ハウスダスト、ストレスなど）に対して反応が亢進してしまい、気道の狭窄、反復性の呼吸困難、喘鳴などの症状が出る疾患です。

臨床ポイント

●喘息は長い間、気管支が収縮して気道が狭くなる発作性の疾患と考えられていましたが、近年、気道粘膜に普段から炎症が存在している病態であり、外部の刺激（ハウスダスト、大気汚染、ストレス、激しい運動など）に対して過敏になっていると見なしています（気道の過敏性亢進）。

●そのため、喘息は必ず留鍼します。通常の15～20分ではなく、その倍くらい時間をかけると、徐々に症状が楽になってきます。

処置

太渓・尺沢に20～40分留鍼、C７～T４への横V字椎間刺鍼、魄戸・膏肓は皮内鍼も可、筋緊張緩和処置。

6 消化器科

㉒過敏性腸症候群

概要

器質的異常がなく、精神的ストレスなどによって、腸管の運動亢進や低下が起こり、下痢や便秘、腹部膨満感などの便通異常と腹痛が慢性的に生じる疾患です。

臨床ポイント

●この疾患では、しばしば脛骨外縁の狭小がみられたり、中脈（胃の気）が弱かったりします。消化器疾患では、胃の気の脈の改善が最優先です。

●腹腔内に炎症があれば、反射的に腹壁が緊張して、張りや硬くなっていることがあります。

処置

胃の気処置、扁桃処置、自律神経調整処置（外ネーブル4点、委中・飛揚・崑崙）、C7・T1・T2への横V字椎間刺鍼。

㉓肝機能障害

概要

鍼灸で効果のある肝機能障害は、肝腫大や一部の慢性肝炎です。明らかに肝機能数値が改善した例は多々あります。

臨床ポイント

●肝炎の鑑別が大切です（肝炎の9割はウイルス性といわれています）。

A型肝炎…経口感染で潜伏期間は1カ月程度。発熱の頻度は高く、吐気、倦怠感、黄疸（急性期）、通常1～2カ月で治癒。

B型肝炎…血液感染（輸血、注射針など）。B型肝炎には2つの特徴があります。1つは一過性感染であること、もう1つは慢性化することです（免疫機能の弱い人は、ウイルスが肝臓に住み着く。また、母親がHB抗原のキャリアでは子供にも症状が出ます）。

C型肝炎…血液感染（輸血、注射針など）。このC型ウイルスは、このウイルスの外側の表面抗原タンパクが次々と変わってしまうので、ウイルスを攻撃する中和抗体ができず、持続感染で慢性化しやすいという特徴があります。C型肝炎は鍼灸の不適応症です。

●左天枢や右季肋部、行間、C3（横隔神経）の右直際に張り、圧痛がある場合は肝実傾向を示しています。

処置

肝鬱血…攅竹、糸竹空、風池、C3右直際。

肝門脈鬱血…左会陽・右大腸兪（肝腫大や肝炎に奏功。P54参照）または、右復溜、右漏谷、右尺沢、右郄門、右少海。

肝機能低下…大敦・陰谷・曲泉・蠡溝・肝兪。

7 代謝・内分泌科

㉔糖尿病

概要

糖尿病は、膵臓から分泌されるインスリンの分泌低下により、慢性的に高血糖をきたしている状態をいいます。

臨床ポイント

●糖尿病には、２つのタイプがあり、インスリン依存型（１型）は遺伝的要因で、10～20歳代に発症することが多いです。日本人の５％くらいに発症するといわれています。もう１つのインスリン非依存型（２型）は生活習慣病で、年齢とともに発症が増加する傾向にあります。２型が鍼灸の適応になります。

●糖尿病の脈は、右関上の沈（脾）が比較的弱いようです。

処置

急性期（6カ月以内）…照海・兪府・中封・太白・郄門・天牖・曲池・列欠に20分留鍼、同点に施灸。ただし、人によって施灸不可の場合もあります。

慢性期…扁桃処置、陽関・関元兪・膀胱兪・腎兪・脾兪・脊中・肝兪・膈兪、陰陵泉、章門。皮内鍼は脾兪。施灸は適宜選択。

8 泌尿器科

㉕膀胱炎

概要

膀胱炎は、細菌（大腸菌など）が尿道を遡って膀胱で増殖して起こることが一般的です。他に、扁桃などからの二次感染によって膀胱炎になることもあり得ます。また、繰り返し起こる非細菌性の膀胱炎もあります。

臨床ポイント

●膀胱炎は女性に多く、下腹部手術の経験者、内臓下垂体型の人などによく起こります。

●アレルギー体質者や、更年期症の自律神経・内分泌失調から起こる非細菌性膀胱炎もあります。
●腹部の反応では、多くは中極や大赫の圧痛を診ます。急性の場合は、下腹部の筋性拘攣が出ていることがあります。

処置

①中封・曲泉に補鍼、行間に瀉鍼。至陰・足通谷に補鍼、崑崙に瀉鍼、尺沢に刺鍼雀啄。皮内鍼は中極、施灸は蠡溝、腰兪。この一連の処置は急性でも対応可。
②照海、尺沢に20分留鍼、蠡溝に多壮灸、中極に皮内鍼。

㉖前立腺炎・前立腺肥大症

概要

前立腺炎は、尿道から侵入した細菌が前立腺に感染して炎症を起こす疾患です。尿道などの痛みや排尿痛、残尿感、発熱などの症状が現れます。若い人にも発症することがあります。

一方、前立腺肥大は前立腺がこぶのように大きくなるもので、原因は加齢によって男性ホルモンと生体調節ホルモンのバランスが崩れてしまい、肥大したものが尿道を圧迫して尿が出なくなったり、残尿感になったりして支障をきたす状態です。

臨床ポイント

●前立腺肥大は、頻尿・下腹部不快感↓排尿困難・残尿感↓尿閉と進行していきます。尿閉までいかない症状は、鍼灸の適応になります。

●肝経は泌尿器・生殖器系に関与していますので、前立腺に炎症があるときは必ず肝経の火穴=行間に圧痛が生じます。そのため、気水穴処置を使って炎症を抑えていきます。

●前立腺は骨盤部の自律神経系の下下腹神経叢（S2～S4）の支配を受けています。よって、八髎穴の深刺雀啄が大切です。

処置（共通）

①中封・曲泉・至陰・風市・大椎・天牖・手三里に刺鍼雀啄、施灸。特に曲泉に多壮灸。

②照海・尺沢に20分留鍼。曲泉に雀啄補鍼。次髎・中髎・下髎・外腰兪（腰兪の外方2㎝）に2～3㎝刺入雀啄。施灸は照海、尺沢、曲泉（多壮）。中極に皮内鍼。

9 婦人科

㉗月経異常

概要

月経異常は、月経周期や出血量の異常、それに伴うイライラ、頭痛、月経痛などが発現して、正常月経状態の範囲を逸脱することをいいます。

臨床ポイント

●月経は子宮だけが関わるものではなく、視床下部、下垂体、卵巣、子宮がすべて協調し合って発生する現象です。これらのどこかにトラブルがあると、月経異常（生理不順、不正出血、無月経など）が起こってきます。

●体質的に、卵巣機能が弱い人が起こす月経異常は、環境の変化やストレスに起因していることが多々あります。よって扁桃、自律神経・内分泌が関係しているので、これらの強化が重要になってきます。

●蠡溝は肝経であり、主として婦人科・泌尿器・生殖器・肝臓疾患に関係が深い穴です。特に、これらの粘膜の炎症に効果があります。多壮灸がよく効きます。

処置

月経不順…三陰交・内関、扁桃処置、次髎・大腸兪・腎兪。
不正出血…太白・陰陵泉・血海・衝門・尺沢。

㉘更年期障害

概要

更年期は卵巣機能が衰退し始め消失していく時期にあたり、一般的には40歳代後半から50歳代後半を指すことが多いですが、個人差もあります。

この時期は、卵巣ホルモン（特に卵胞ホルモンのエストロゲン）の分泌低下が始まり、月経異常が起こるとともに、さまざまな身体的・精神的な症状が出てきます。この不定愁訴（のぼせ、顔のほてり、イライラ、発汗、冷え、頭痛、肩こり、動悸、易疲労、不眠。うつなど）を更年期障害と呼んでいます。

臨床ポイント

●更年期障害の脈状でよくみられるのが、細緊数です。卵胞ホルモンの低下によって血管が収縮し、副腎髄質ホルモンは亢進しています。

●他には細沈遅の脈状もみられます。全身的な循環障害を表わし、慢性的に副腎皮質ホルモンの分泌が低下し、慢性症状を現します。
●腹証では、瘀血や肝門脈鬱血を呈していることがあります。ときに内臓下垂に相当する腹壁が全般的に軟弱で、腹圧が低下していることもあります（特に腹部手術経験者にみられる）。

処置

照海、兪府、天牖、手三里に20分留鍼。瘀血、頭部瘀血があればこの処置を行います。めまいは築賓、耳のめまい点（耳鍼の脳点、暈点）に皮内鍼（P125参照）。足腰の冷えは大腸兪・陽関・上仙および八髎穴の反応点に灸頭鍼。

10 耳鼻咽喉科

㉙扁桃炎

概要

口蓋扁桃、咽頭扁桃などの咽頭部のリンパ組織を総称して、扁桃といいます。扁桃は、咽頭の入口を取り囲んでいることから、咽頭リンパ輪（ワルダイエル咽頭輪）とも呼ばれます。主として、口蓋扁桃に生じた炎症が扁桃炎で、咽頭扁桃の肥大がアデノイドです。

臨床ポイント

●急性扁桃炎では、口蓋扁桃が赤く腫れて、発熱、倦怠感が出てきます。この反応点は天牖です。

●扁桃炎をきっかけとして、扁桃以外の場所に二次的に疾患が発症する扁桃病巣感染症には、IgA腎症、掌蹠膿疱症、慢性蕁麻疹、糸球体腎炎、腎盂腎炎、ネフローゼ症候群、関節リウマチ、アキレス腱炎、心内膜炎、肝炎、胆のう炎、虫垂炎、ぶどう膜炎、微熱などがあるとされています（形浦昭克、『二つの顔を持つ臓器　扁桃とその病気』）。臨床的にはまだ多くの疾患が扁桃病巣感染症に含まれるのではないかと考えられます。

処置

天牖・大椎・手三里（曲池）・照海（復溜、太渓、築賓でも可）、崇骨（奇穴。C6とC7の間）。

㉚鼻炎

概要

鼻炎といっても、いくつか種類があります。まず、急性鼻炎はウイルスや細菌が鼻粘膜に感染を起こし、炎症が生じたものをいいます。俗にいう鼻風邪です。

慢性鼻炎は、急性鼻炎からの移行の他、鼻腔にある鼻甲介の粘膜が腫れて、空気の通りが悪くなり、鼻づまりが強くなった状態をいいます。アレルギー性鼻炎は別名、鼻過敏症といい、鼻粘膜で抗原とIgE抗体が反応して起こる疾患です。繰り返す発作性のくしゃみ、鼻水、鼻づまりの症状が出ます。

臨床ポイント

●鼻炎はすべて粘膜上で起こる症状です。よって、粘膜に関与している脾経および肺経を使っていきます。
●鼻アレルギーには、花粉症（季節性アレルギー性鼻炎）と通年性アレルギー性鼻炎があります。通常、前者のアレルゲンは花粉ですが、後者は主にハウスダストやダニなどです。

処置

鼻炎共通…脾経・肺経の気水穴、上星・顖会、風池、丘墟、扁桃処置。鼻閉は足通谷。

アレルギー…腰兪・命門・脊中・筋縮・至陽・巨厥兪・身柱・陶道。花粉症には内ネーブル4点への皮内鍼は必須。施灸は腰兪・命門・脊中・身柱・風池・上星・顖会。

11

皮膚科

㉛帯状疱疹（ヘルペス）

概要

水痘（みずぼうそう）に初めて感染したときに、このウイルスが知覚神経節に潜伏します。そして過労、ストレスや免疫が低下したとき、ウイルスが再活性化し、罹患した知覚神経が分布する範囲の皮膚に、疼痛を伴う帯状の発疹を起こします。

臨床ポイント

●脈状は緊もしくは弦数を打っていることが多く、実証を示しています。
●扁桃炎による二次感染として誘発されることもあり、免疫機能を強化するために施灸は必要です。

処置

扁桃処置が基本になります。ヘルペスの症状としては、肋間神経や三叉神経などが多いですが、全身に症状がある場合、罹患している手足の三陰三陽の経絡の気水穴（主に陽経）に刺鍼雀啄と施灸が必要になります（P88参照）。

Nagano-Method
Acupuncture Treatment

付録

資料

予診表

氏名	
1	動作時に、①腰　②肩　③背　④腕　⑤手　⑥足　⑦膝 ⑧その他（　　　）の痛み、しびれ、腫れ、むくみがある
2	安静時に、①腰　②肩　③背　④腕　⑤手　⑥足　⑦膝 ⑧その他（　　　）の痛み、しびれ、腫れ、むくみがある
3	①胸痛　②動悸　③息苦しい　④胸がしめつけられる
4	①咳（夜特に出る、時間に関係なく出る）②痰が出る
5	①熱が出やすい　②微熱が続く
6	風邪をひきやすい。
7	①食欲がない　②胃がもたれる　③胸やけがする　④お腹が張る（食後、空腹時） ⑤腹痛（食後、空腹時）
8	下痢（習慣性、一時性）
9	便秘（習慣性、一時性）
10	尿が（近い、遠い、出にくい、もれる、出るとき痛む、残る）
11	血尿が出る
12	痔（出血、痛む、脱肛）
13	①イライラする　②顔のほてり　③手足の（ほてり、冷え）
14	汗が出やすい（通常、寝汗）
15	①立ちくらみ　②めまい　③はきけ
16	不眠（寝つきが悪い、時々目が覚める）
17	眼が（疲れやすい、痛む）涙目
18	①眼圧が上がる　②視野が狭い感じ
19	こめかみが痛い
20	①頭全体が（痛い、重い）②後頭部が（痛い、重い）
21	頭痛持ち
22	①耳鳴　②耳閉　③耳痛　④頭鳴
23	口内炎ができやすい
24	アレルギー症状が出る（くしゃみ、鼻水、鼻づまり、湿疹、その他）
25	最近体重が減った
26	現在、病院の薬をのんでいる（　　　　　）
27	今までに（肝臓、すい臓、心臓、肺、腎臓、糖尿病、その他）の病気にかかった。
28	今までに手術をしたことがある（病名　　　　　いつ頃　　　　　）
29	朝食をきちんととっている、とってない
30	女性の方だけ ☆生理（不順、痛）がある　☆異常出血がある ☆下腹部の痛み、張りがある　☆閉経　　　才頃

長野式治療（長野鍼灸院）のカルテ

氏名	様 明大昭平　年　月　日生	住所	TEL				紹介者	様
		年令		男女	職業		初診	平成　年　月　日

主　訴	現　症	
既往症		
脈　状	腹　診	火　穴
変動経絡、証、病名	胸鎖乳突筋及び僧帽筋	頭部瘀血
脊椎変形、側弯	腰椎分離、狭窄	脊柱起立筋
脛骨外縁	下垂体．冷え性．アレルギー体質	
血　圧	食　　便　　眠	
その他		

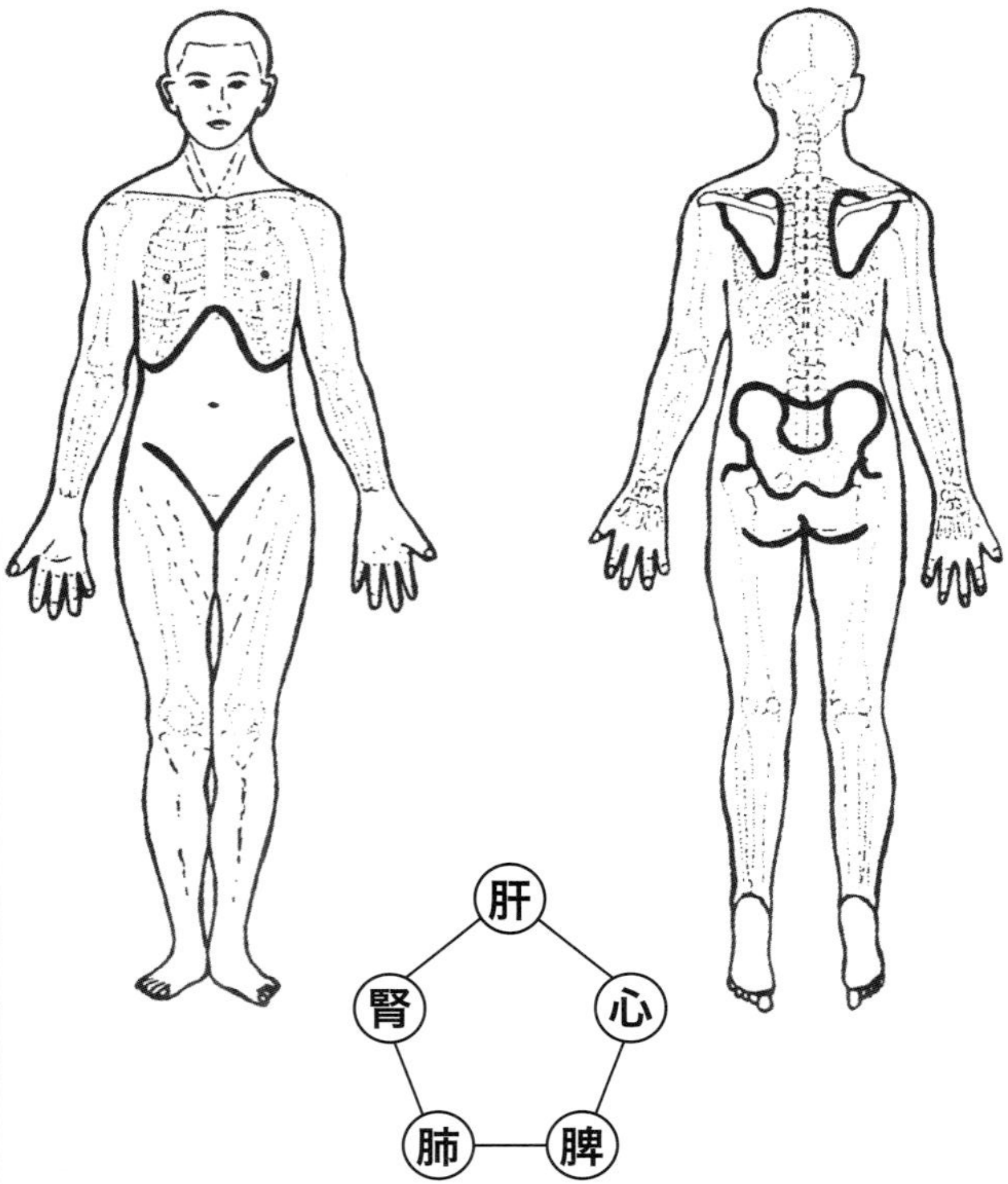

あとがき

「山に木を植えると海の幸をもたらす」
この話は、宮城県の気仙沼や青森県、三重県など全国至るところで聞くことができます。どういうことかというと、ブナ、クルミなどの落葉が雨などによって森の腐葉土となって豊富なミネラル分を含んで、水と混ざり渓流を下り、海へ辿り着く。それが海のプランクトンに栄養を与え、魚が餌として食べる。これが栄養に富んだ海の幸をもたらす、ということです。

長野式治療も、まさにこれと同じです。目の前の症状をとるために、それを起こさせている要因を尋ねていくわけです。その要因とは　本書で述べたように5つあり、それに対する処置がこの森の腐葉土になるのです。

この腐葉土という栄養分を探し出した先代を、私は傍らで臨床を共にしながら21年見てきました。家では、仕事から帰ると書斎に籠り、新しい処置法をつくるべく、悪戦苦闘していました。先代の影響か、私も本を読むことが嫌いではなく、高校2年の17歳のときに出会った『日本人とユダヤ人』は衝撃的でした。この著者、イザヤ・ベンダサン（後の山本七平氏）はその後の私の思考様式を形造ってくれたのです。物事を客観的にみる見方、いろんな角度からの考え方など、多くのことを教えてくれました。それが、日常臨床での患者との対話や人とのコミュニケーション、セミナーでのテキストづくりなどに大いに役立っています。
西洋医学は常に進化しています。長野式治療も鍼灸伝統医学のよさを大切にしつつ、一方では科学的思考の積み重ねによる処置法を加え、確立して進化させていきたいと考えております。

最後に、この本ができ上がったのは、わが長野式臨床研究会の長谷川吾朗氏、大野倫史氏を始め、各講師諸氏の多大な協力があり、また、写真や図解の原本を書いてくれた岩島信吾氏のお陰もあり、それぞれ感謝申し上げます。それから、受講生の皆様の協力なくしてこの本はできませんでした。たいへん感謝致します。そして、医道の日本社編集部の皆様にも心より謝意を表します。

平成27年　8月吉日

自宅離れの書斎にて

【参考文献】

長野潔 著 『鍼灸臨床　わが30年の軌跡』（医道の日本社）
長野潔 著 『鍼灸臨床　新治療法の探究』（医道の日本社）
王叔和 著 『脈経』（たにぐち書店）
小曽戸丈夫・浜田善利 著 『意釈八十一難経』（築地書館）
小曽戸丈夫・浜田善利 著 『意釈黄帝内経素問』（築地書館）
小曽戸丈夫・浜田善利 著 『意釈黄帝内経霊枢』（築地書館）
李時珍 著 『奇経八脈考』（東洋学術出版社）
元滑壽 著 『診家樞要』（世論時報社）
藤田六朗 著 『鍼灸医学＝漢方医学』（個人出版）
木村愛子 著 『新しい中国の奇穴』（たにぐち書店）
山延年 著 『脉法手引草』（医道の日本社）
伊藤隆 著 『解剖学講義』（南山堂）
藤田恒太郎 著 『人体解剖学』（南江堂）
A. シェフラー・S. シュミット 著 『からだの構造と機能』（西村書店）
F.H マティーニ 他 著 『カラー人体解剖学』（西村書店）
『南山堂医学大辞典』（南山堂）
成都中医学院 他 編著 『中国漢方医語辞典』（中国漢方）
長濱善夫 著 『東洋医学概説』（創元社）
仙頭正四郎 著 『標準東洋医学』（金原出版）
西山英雄 著 『漢方医学の基礎と診療』（創元社）
間中喜雄 著 『鍼灸臨床医典』（医道の日本社）
本間祥白 著 『難経の研究』（医道の日本社）
代田文誌 著 『鍼灸真髄』（医道の日本社）
川合重孝・川井正久 著 『中医脈学と瀕湖脈学』（たにぐち書店）
田辺達三 著 『血管の病気』（岩波書店）
久慈直太郎 著 『産婦人科臨床のために』（金原出版）
小林寛道 著 『運動神経の科学』（講談社）
岩井寛 著 『森田療法』（講談社）
山田慶児 著 『中国医学はいかにしてつくられたか』（岩波書店）
寺下謙三 総監修 『標準治療』（日本医療企画）
下条文武 編 『メディカルノート症候がわかる』（西村書店）
形浦昭克 著 『2つの顔をもつ臓器、扁桃とその病気』（南山堂）
丸山昌朗 著 『鍼灸医学と古典の研究』（創元社）
三浦於菟 著 『東洋医学を知っていますか』（新潮社）
河合隼雄 著 『こころの処方箋』（新潮社）
菊地臣一 著 『腰痛をめぐる常識の嘘』（金原出版）
東洋療法学校協会 編 『臨床医学総論』（医歯薬出版）

索引

長野 康司（ながの こうじ）

1956年、大分県生まれ。80年、東京鍼灸柔整専門学校（現東京医療専門学校）卒業。80～84年、各研究会、流派に参加することで、先代長野潔が創始した長野式治療の価値を再認識。98年、「医道の日本」誌に症例発表開始。同年、長野式臨床研究会を立ち上げる。2011年、ドイツにおける「日本の伝統医学と文化第1回学術大会」にて講師の1人として講演。大分にて鍼灸院経営。長野式臨床研究会代表。

よくわかる長野式治療
日本鍼灸のスタンダードをめざして

2015年 9月 1日　初版第1刷発行
2023年 2月10日　初版第5刷発行

著　者　長野康司
発行者　戸部慎一郎
発行所　株式会社医道の日本社
〒237-0068　神奈川県横須賀市追浜本町1-105
TEL　046-865-2161
FAX　046-865-2707

本文・カバーデザイン　掛川竜
本文DTP・図版作成　小田静（株式会社アイエムプランニング）
印刷・製本　ベクトル印刷株式会社

Printed in Japan
ISBN 978-4-7529-1146-3